Pingpong 2

Arbeitsbuch

von Gabriele Kopp
und Konstanze Frölich

Max Hueber Verlag

Quellenverzeichnis

Seite   5: Aus: Martin Auer: Was niemand wissen kann, Gulliver Taschenbuch 114.
              Beltz Verlag Weinheim und Basel 1986, Programm Beltz & Gelberg, Weinheim

Seite 17: Aus: Vera Ferra-Mikura: Was meinst du dazu? Die Stadt der Kinder,
              Recklinghausen 1969. © Georg Bitter Verlag, Recklinghausen

Seite 23: Aus: MÜCKE 9/82: „Ich möchte mich gerne mal langweilen." von Wolfgang Altendorf.
              © Universum Verlagsanstalt, Wiesbaden

Seite 33: Aus: Ursula Wölfel: Du wärst der Pienek. © Anrich Verlag, Kevelaer

Seite 50: Aus: Ursula Wölfel: 28 Lachgeschichten. © by K. Thienemanns Verlag,
              Stuttgart – Wien

Seite 64: Aus: Evelyn Sanders: Pellkartoffeln und Popcorn. © 1981 Verlagsunion
              Pabel-Moewig KG, Rastatt (Hestia)

Seite 71: Aus: Ernst A. Ekker: Geh und spiel mit dem Riesen, Beltz 1971

Seite 73: Manfred Limmroth/Cartoon Caricature-Contor, München

Seite 93: Aus: Paul Maar: Summelsarium oder 13 wahre Lügengeschichten.
              © Verlag Friedrich Oetinger, Hamburg 1973

Seite 103: Aus: Bausteine Deutsch, Lesebuch, 4. Jahrgangsstufe, Siegfried Buck (Hrsg.).
              © Verlag Moritz Diesterweg, Frankfurt

Seite 113: Aus: Bildergeschichten 1 von Sönke Zander, Zeichnungen: Klaus Hermann.
              © Verlag Ferdinand Kamp, Bochum 1983

Seite 116: Herausgegeben vom Bayer. Staatsministerium für Unterricht und Kultus in
              Zusammenarbeit mit der Verbraucherzentrale Bayern.

Seite 121: Aus: Einmal Welt und zurück von Barbara Waubke-Klostermann, München 1977

Seite 131: Aus: Hans-Joachim Gelberg (Hrsg.): Wie man Berge versetzt. Sechstes Jahrbuch
              der Kinderliteratur. Beltz Verlag, Weinheim und Basel 1981, Programm Beltz &
              Gelberg, Weinheim

R   4.   3.   2. | Die letzten Ziffern
2002   2001   2000   1999   98 | bezeichnen Zahl und Jahr des Druckes.
Alle Drucke dieser Auflage können, da unverändert,
nebeneinander benutzt werden.
2. Auflage 1997
© 1993 Max Hueber Verlag, D-85737 Ismaning
Verlagsredaktion: Dörte Weers, München
Zeichnungen: Frauke Fährmann, München
Druck und Bindung: Druckerei Ludwig Auer GmbH, Donauwörth
Printed in Germany
ISBN 3-19-011505-2

Inhalt

A 2/3 **1. Ergänze *wollen* in der richtigen Form.**

a) Was ___willst___ du machen? Eine Band gründen?

b) Ich _____ im Sommer nach Amerika fahren. Aber vielleicht darf ich gar nicht.

c) _____ ihr nicht mitkommen? – Nein, wir _____ lieber fernsehen.

d) Ich habe Florian gesagt, er kann mitspielen. Er _____ aber nicht. Da kann man nichts machen.

e) _____ Anja und Katrin auch beim Stadtmarathon mitmachen? – Ich weiß nicht.

A 2/3 **2. Ergänze in der richtigen Form: *wollen – möchten*.**

a) _____ du einen Apfel? – Nein, danke, ich habe keinen Hunger.

b) Ich _____ unbedingt das Rocky-Konzert sehen.

c) Katrin _____ nicht ins Kino gehen. Sie _____ lieber fernsehen.

d) Und was _____ ihr? – Zwei Hamburger, bitte.

e) _____ ihr den ganzen Tag hier herumsitzen? Kommt, wir gehen Tennis spielen.

A 5 **3. Wiederhole den Imperativ mit *sollen*.**

a) Mach doch das Radio leiser! – Wie bitte?   _Du_ _____

b) Spielt doch draußen! – Was ist los?   _____

c) Fahr doch nicht so schnell! – Was hast du   _____

gesagt?   _____

d) Lernt nachher bitte eure Lateinvokabeln! –   _____

Wie bitte?   _____

A 6 **4. Ergänze in der richtigen Form: *sollen – müssen*.**

a) Wir _____ heute unbedingt noch Mathe lernen.

b) Meine Mutter hat gesagt, wir _____ das Zimmer aufräumen.

c) Der Arzt meint, ich _____ noch drei Tage im Bett bleiben.

d) Wie oft habe ich dir schon gesagt, du _____ die Musik leiser machen.

e) _____ du heute noch Hausaufgaben machen?

f) Im Top-Magazin steht, man _____ seine Bewerbung bis zum 15. 4. an die Jugend-Redaktion schicken.

5. Hausarbeit

a) Welche Arbeiten machst du zu Hause? Kreuze an.

☐	Geschirr spülen	☐	das Bett machen
☐	das Zimmer aufräumen	☐	den Tisch decken
☐	stricken	☐	einkaufen
☐	kochen	☐	die Fenster putzen
☐	das Haustier füttern	☐	den Abfall raustragen

b) Schreib Sätze in dein Heft.   Schreib auch so:

Ich muss | jeden Tag
immer
immer am Wochenende
einmal die Woche
einmal im Monat
manchmal
nie

Geschirr spülen.
das Zimmer aufräumen.
...

Meine Mutter sagt,
ich soll jeden Tag ...
Aber ich | *habe keine Lust.*
mag nicht.
finde das doof/
  unmöglich.

6. Lesetext: „Aufräumen".

Heute bin ich von der Schule nach Hause gekommen, bin in mein Zimmer gegangen, habe mich umgesehen und hab zu mir selber gesagt: „Also, heute räume ich einmal mein Zimmer auf. So wie das aussieht, da macht es ja wirklich keinen Spaß mehr, hier zu wohnen. Nach dem Essen werd ich gleich mein Zimmer aufräumen."

5 Und ich hab richtig gemerkt, wie ich mich gefreut hab auf mein aufgeräumtes Zimmer. Schließlich ist es ja mein Zimmer, und ich muss drin wohnen, und ich hab zu mir selber gesagt: „Siehst du", hab ich zu mir gesagt, „ich bin alt genug, dass ich selber weiß, wann ich mein Zimmer aufräumen muss, und niemand braucht es mir zu sagen!" Und ich hab gemerkt, dass ich mich gefreut hab, dass ich ganz von selber mein Zimmer aufräumen

10 werd, ohne dass es mir wer gesagt hat.
Beim Mittagessen hat meine Mutter dann zu mir gesagt: „Kim", hat sie gesagt, „heute räumst du endlich einmal dein Zimmer auf!"
Da war ich ganz traurig.
Und jetzt sitz ich da und kann mein Zimmer nicht freiwillig[1] aufräumen. Und

15 unfreiwillig[2] mag ich es nicht aufräumen. Und wenn ich es heute nicht aufräume, dann wird die Mutter mit mir schimpfen und wird morgen wieder sagen, ich soll mein Zimmer aufräumen, und dann kann ich es morgen auch nicht freiwillig aufräumen. Und so weiter, bis in alle Ewigkeit[3].
Und in einem so unordentlichen Zimmer mag ich auch nicht wohnen. Ich sehe keinen

20 Ausweg[4]. Ich glaube, ich muss auswandern[5].

Martin Auer

1 von allein / ich muss nicht   3 immer   5 in ein anderes Land gehen
2 nicht freiwillig   4 Ich weiß nicht mehr weiter.

Lektion 1

a) Kim spricht mit sich selbst. Unterstreiche im Text rot, was er zu sich selber sagt.

b) Unterstreiche im Text grün, was die Mutter sagt.

c) In der Geschichte macht Kim verschiedene Phasen durch.
   Beantworte die Fragen. Wo steht das im Text? Schreib die Zeilen auf.

1. Was will Kim heute machen?

   _____   Zeile *2–4*

2. Warum freut sich Kim?

   Weil _____   Zeile _____

3. Warum ist Kim dann traurig?

   _____   Zeile _____

4. Warum weiß Kim nicht mehr, was er machen soll?

   _____   Zeile _____

B 1 **7. Was passt zu welcher Frisur?**

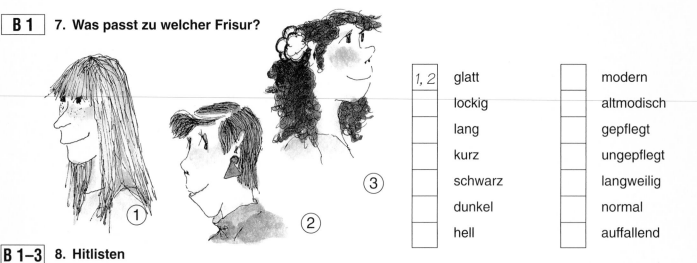

1, 2	glatt		modern
	lockig		altmodisch
	lang		gepflegt
	kurz		ungepflegt
	schwarz		langweilig
	dunkel		normal
	hell		auffallend

B 1–3 **8. Hitlisten**

a) Ergänze deine Hitliste.

	Tobias	Anja	du
Popmusik	++	+	
Klassische Musik	+	++	
Jazz	–	–	
Comics	++	–	
Sport	+	++	
Moderne Kunst	–	+	

b) Schreib Sätze in dein Heft.

Popmusik gefällt Tobias sehr gut.
Auch klassische Musik gefällt ihm ganz gut.

Aber Jazz gefällt …
Klassische Musik gefällt Anja …

Und du? Schreib so: *… gefällt mir …*

9. Ergänze: *mir – dir – ihm – ihr.*

a) Tobias findet BAP toll. Die Gruppe gefällt

_____ wirklich gut.

b) Ich mag Leichtathletik gern. Sport gefällt

_____ überhaupt gut.

c) Wie findest du die Frisur? Gefällt sie

_____ ?

d) Katrin trägt gern schicke Klamotten. Mini

gefällt _____ besonders gut.

e) Was hast du denn für eine Hose an? Die steht

_____ ja überhaupt nicht.

f) Wie findest du mein Hemd? Steht _____

das?

g) Tobias ist nicht gut in der Schule. Aber das ist

_____ egal.

h) Was sagt denn Anja zu dem Film? Wie gefällt

er _____ ?

10. Was passt zusammen?

1	Wem gehört denn die Jacke?
2	Gefällt dir klassische Musik?
3	Wie gefällt dir meine Frisur?
4	Gehören dir die Cassetten?
5	Wie findet Tobias eigentlich Volksmusik?
6	Meinst du, Anja mag den Pulli?

a	Ehrlich gesagt, nicht so gut.
b	Nein, Tobias.
c	Ja schon, aber Rockmusik mag ich lieber.
d	Ich glaube, die gefällt ihm nicht so gut.
e	Ja, sicher. Der gefällt ihr bestimmt.
f	Ich glaube, die gehört Katrin.

1	2	3	4	5	6
f					

11. Was kannst du noch sagen?

a) Gehört dir das Hemd?

1	Ist das Hemd schick?
2	Gefällt dir das Hemd?
✗	Ist das dein Hemd?

b) Wie gefällt dir Rockmusik?

1	Wie ist Rockmusik?
2	Wie findest du Rockmusik?
3	Wie oft hörst du Rockmusik?

c) Das sind seine Schuhe.

1	Die Schuhe gehören ihm.
2	Seine Schuhe sind neu.
3	Die Schuhe gefallen ihm.

d) Sie mag keine Hosen.

1	Sie trägt gern Hosen.
2	Hosen gefallen ihr sehr gut.
3	Hosen gefallen ihr nicht.

e) Welche Jacke gefällt dir?

1	Welche Jacke ist schick?
2	Welche Jacke findest du schick?
3	Welche ist deine Jacke?

Lektion 1

B 1–5 **12. Antworte.**

a) Sag mal, gehört die Lederjacke wirklich Katrin?

Ja klar, die _____

b) Wem gehört denn der Fußball da?

Der _____

c) Gehören dir die Schuhe?

Nein, die _____

d) Wem gehören denn die Cassetten? Tobias?

Ja, ich glaube, die _____

e) Ist das dein Cassettenrecorder?

Ja, der _____

B 1–5 **13. Stell Fragen.**

a) *Gefällt* _____

Nein, Rockmusik gefällt mir überhaupt nicht.

b) _____

Die gehört mir.

c) _____

Ehrlich gesagt, nicht so gut.

d) _____

Nein, Katrin gehören sie bestimmt nicht.

e) _____

Ja, die finde ich super.

f) _____

Nein, die gefallen ihm bestimmt nicht.

A–B **14. Ordne den Dialog.**

☐ ▲ Ich weiß, das mach ich nachher.	☐ ▲ Ich will jetzt aber nicht.
☐ ● Mami hat aber gesagt, du sollst gleich aufräumen.	☐ ● Die musst du aber aufräumen.
☐ ▲ Ja, warum?	☐ ▲ Dann räume ich eben jetzt auf. Du Nervensäge!
1 ● Gehören dir die Sachen?	
☐ ● Aber Mama ist dann sicher sauer.	

C 1

15. Kreuzworträtsel

---

16. Silbenrätsel

C 1

Bilde Wörter aus den Silben. Die Buchstaben in den Kästchen ☐ ergeben ein Wort. Das Lösungswort sagt, wann man diese Speisen isst.

⚠ Nummer 10 passt nicht zu den anderen Speisen und auch nicht zum Lösungswort.

> bra–de–del–ein–er–feln–fri–ge–gu–ka–kar–kraut–la–lasch–lat–le–mar–me–mü–nat–ne–sa–sau– schnit–schwei–se–spi–ten–tof–topf–zel

1. _ _ ☐ _ _ _ _
2. _ _ ☐ _ _ _ _ _ _
3. _ _ _ ☐ _ _ _ _
4. _ _ _ _ ☐ _ _ _

5. _ ☐ _ _ _ _ _ _ _
6. ☐ _ _ _ _ _ _
7. ☐ _ _ _ _ _ _ _
8. ☐ _ _ _ _ _

9. ☐ _ _ _ _ _
10. _ _ _ _ ☐ _ _ _ _
11. _ _ _ _ _ ☐ _ _ _ _ _ _ _

1. Erbsen, Bohnen und Tomaten sind …
2. Fast wie Hamburger (aus Hackfleisch).
3. Diese Beilage essen viele Deutsche gern.
4. Dieses Fleischgericht ist auch in Wien sehr bekannt (Wiener …).
5. Das isst man gern zu Würstchen.
6. Ein Fleischgericht mit Soße.
7. Ein Gericht aus Fleisch, Gemüse und Kartoffeln.
8. Man kocht ihn nicht.
9. Dieses Gemüse ist sehr gesund. Viele Kinder mögen es nicht.
10. Das passt nicht zum Lösungswort.
11. Das bekannteste Fleischgericht in Deutschland.

17. Ergänze in der richtigen Form: *gefallen – schmecken – mögen*.

C 2/3

a) Ich _____ keinen Schweinebraten. Fleisch _____ mir überhaupt nicht.

b) Klaus _____ nur klassische Musik. Rockmusik _____ ihm nicht.

c) _____ deine Schwester die Bücher? – Also, die _____ ihr wirklich gut.

d) Wie _____ dir Frikadellen? – Ganz gut, aber Hamburger _____ ich lieber.

Lektion 1

18. Welche Antwort passt?

a) Isst dein Vater gern Spaghetti?

1	Ja, aber er isst keine Spaghetti.
✗	Ja, Spaghetti schmecken ihm.
3	Nein, er isst Spaghetti.

c) Schmeckt den Kindern Pizza?

1	Ja, Pizza essen sie gern.
2	Ja, Pizza mögen sie gar nicht.
3	Ja, Pizza gefällt ihnen gut.

b) Wem gehört denn der Hund?

1	Dem Hund da.
2	Ja, meinem Freund.
3	Ich glaube, dem Jungen da.

d) Gehört dir die Kamera?

1	Nein, das ist meine.
2	Nein, die gehört mir.
3	Nein, meiner Freundin.

19. Schreib fünf kleine Dialoge in dein Heft.

Schmeckt dir Eintopf? Wem gehört denn der Atlas? Warum hört ihr immer klassische Musik?

Meinem Bruder.

Ja, aber sie gefällt meinem Freund gar nicht. Eintopf. Weil der meinem Opa schmeckt.

Die gefällt meinen Eltern. Mir nicht, aber meiner Schwester.

Was kochst du denn da?

Hast du eine neue Frisur?

20. Ergänze die Tabelle.

Die Hose passt zu …

dem			*keinem*	**Pulli.**
		deinem		**Hemd.**
				Jacke.
	meinen			**Schuhen.**

21. Ergänze.

a) Wem gehört denn die Cassette? _____ Bruder.

b) Schau mal. Die Hausschuhe habe ich für Opa gekauft. – Toll, _____ Opa gefallen die bestimmt!

c) Wem gehört denn die Jacke? – _____ Mädchen da.

d) Wir hören zu Hause immer nur Mozart, weil das _____ Mutter gefällt.

e) Was soll ich denn für die Geburtstagsparty kochen? – Mach doch Pizza oder Hamburger. Das schmeckt _____ Kindern am besten.

22. Ergänze: *seinem – ihrem – unserem – eurem – Ihrem – seiner – ihrer – unserer – eurer – Ihrer.* C 2–4

a) He, wo seid ihr denn? In _____ Zimmer?

b) Tobias liegt in den Ferien den ganzen Tag in _____ Hängematte und spielt Gitarre.

c) Anja sitzt an _____ Schreibtisch und macht Hausaufgaben.

d) Die Lehrerin ist heute den ganzen Vormittag in _____ Klasse.

e) Wir wohnen im Sommer in _____ Haus am Meer.

f) Frau Müller, sind Sie jetzt in _____ Klasse?

g) Wir bleiben zwei Wochen bei _____ Oma.

h) Opa schläft immer in _____ Sessel ein.

i) Sitzen Sie oft auf _____ Balkon, Frau Wegner?

j) Herr und Frau Schön sitzen am Abend in _____ Wohnzimmer und sehen fern.

k) Habt ihr in _____ Klasse viele Mädchen?

D 1/2

23. Kreuzwortgitter

Hier siehst du einige Möbelstücke.
Schreib die Wörter in das Kreuz-
wortgitter ein.
Wohin gehören sie?
Das musst du selbst herausfinden.

11

Lektion 1

D 4–6 **24. Ergänze:** *steht – liegt – hängt.*

a) Mario ist krank. Er _____ im Bett.

b) Der Fernseher _____ auf dem Tisch.

c) Das Poster _____ an der Wand.

d) Der Cassettenrecorder _____ im Regal.

e) Das Heft _____ auf dem Schreibtisch.

f) Der Lehrer _____ neben dem Pult.

g) Wo ist denn der Ball? – Da _____ er doch!

h) Die Landkarte _____ an der Tafel.

D 4–6 **25. Schreib den Brief in dein Heft.**

Ergänze die Präpositionen *(in/an/…)*.

Köln, den …

Liebe Claudia,

jetzt wohnen wir schon drei Wochen hier ▬▬▬ Köln.

Leider habe ich noch keine Freunde gefunden.

Aber Eines ist toll hier: Ich habe endlich ein eigenes Zimmer! Es ist nicht groß, aber

mir gefällt es. ▬▬▬ Fenster steht ein Schreibtisch, und gleich ▬▬▬ der anderen Wand steht der Schrank.

▬▬▬ dem Schreibtisch steht das Bett. ▬▬▬ der anderen Wand steht der Schrank.

▬▬▬ dem Schrank und der Tür ist gerade noch Platz für ein Regal.

Na ja, das siehst du ja dann, wenn du kommst.

Bis bald,

deine Eva

D 4–6 **26. Das verrückte Klassenzimmer**

Schau das Bild an. Ergänze dann die Präpositionen in den Sätzen.

a) Der Lehrer steht _____ der Tafel.

b) Der Papierkorb hängt _____ dem Pult.

c) Martin sitzt _____ Papierkorb.

d) Die Landkarte hängt _____ Fenster.

e) Die Schüler tanzen Rock'n' Roll _____ den Tischen.

f) Der Schrank steht _____ der Tür.

g) Die Schultaschen liegen _____ dem Pult.

h) Robert macht _____ dem Tisch Handstand.

i) Die Hefte liegen _____ dem Schrank.

27. Ergänze die Präpositionen *(in/auf/...)* **und Artikel.** ◻ **D 4–6**

a) Die Lampe hängt _____ Tisch.

b) Der Füller liegt _____ Schublade.

c) Der Vorhang hängt _____ Fenster.

d) Das Bild hängt _____ Wand.

e) Peter ist krank. Er liegt _____ Bett.

f) Der Cassettenrecorder steht _____ Büchern _____ Regal.

g) Kommt doch, der Kaffee steht schon _____ Tisch!

h) Die Hängematte hängt _____ Wand und _____ Säule.

i) Der Papierkorb steht _____ Schreibtisch.

j) Der Teppich liegt _____ Sofa.

k) Wo ist denn nur der Bleistift? Ach da, _____ Büchern.

l) Das Regal steht _____ Schrank.

28. Beschreibe Katrins Zimmer. Schau im Buch auf Seite 16 nach. ◻ **D 4–6**

Das Bett _____

Der Teppich _____

Ein Regal mit Teddys _____

Rollos _____

Der Schreibtisch _____

Ein Stuhl _____

Die Stereoanlage _____ _____

Lektion 1

D 9 **29. Wo sind die Sachen?**

Schreib die Nummern der Zimmer in die Kästchen.

① Flur		Schrank		Sofa
② Wohnzimmer		Schreibtisch		Regal
③ Schlafzimmer		Stuhl	3,4	Bett
④ Kinderzimmer		Tisch		Matratze
⑤ Küche		Sessel		Badewanne
⑥ Bad		Teppich		Vorhang

Schreib Sätze: *Das Bett steht ...*

E 1–4 **30. Schreib die Sätze richtig.**

Denk an die Satzzeichen (. , ? !).

a) Ich – meiner Freundin – leihe – meinen Atlas

_____

b) nimmt – auf – Sebastian – dir – eine Cassette

_____

c) mal – doch – Hilf –mir

_____

d) helfen – im Garten – Wir – unserem Opa

_____

e du – mir – Gibst – ein Wurstbrot

_____

f) Oma – einen Pulli – strickt – meiner Schwester

_____

g) Kannst – in Latein – du – helfen – mir

_____

h) ihrem Onkel – ein Buch – Claudia – schenkt – zum Geburtstag

_____

31. Antworte immer mit „nein". E 1–4

Verwende das Wort in Klammern ( ).

a) Schenkst du Klaus eine Videocassette?

   Nein, ich schenke ihm ein Buch. _____ (Buch)

b) Schenkst du mir die CD?

   Nein, ich _____ (Cassette)

c) Leihst du deiner Schwester den Pulli?

   _____ (Hemd)

d) Hilfst du Martina in Französisch?

   _____ (Physik)

e) Strickst du deinem Opa Handschuhe?

   _____ (Strümpfe)

f) Kaufst du dir ein Comic-Heft?

   _____ (Poster)

32. Schreib den Dialog. E 1–4

▲ Hat nicht deine Schwester bald Geburtstag?

● _____

▲ Am dreizehnten? Das ist ja schon in vier Tagen.

● _____

▲ Und was willst du ihr schenken?

● _____

▲ Ein Taschenbuch? Deine Schwester liest doch fast gar nicht.

● _____

▲ Das ist eine gute Idee. Deine Schwester hört ja gern Musik.

● _____

▲ Schenk ihr doch eine Cassette von Nena.

● _____

▲ Na dann eben von Rocky Rocknacht.

● Das mache ich! Danke für den Tip.

Lektion 1

E 1–4 **33. Schreib fünf Sätze in dein Heft.**

Ich	mir	Eltern	kaufst	seiner	deine	schenken	Meine
helfe	meiner	eine	Mutter	du	in	Vater	Küche	deinem
leiht	Klaus	mir	Freundin	doch	eine		CD
Gib	eine	der	Lederjacke	Cassette	Telefonnummer		eine

E 5 **34. Eine Glückwunschkarte**

Schreib eine Glückwunschkarte. Suche dir einen Satz aus der Liste unten aus.

Alles Gute Herzlichen Glückwunsch	zum zu deinem zu deinem 16. …	Geburtstag wünscht dir dein/e

oder

Zum Zu deinem Zu deinem 16.	Geburtstag	wünsche ich dir alles Gute. wünschen wir viel Glück.	dein/e

Du kannst auch mit einer Anrede anfangen:

Liebe/r …

E 1–5 **35. Ein Brief**

Tobias hatte vor drei Tagen Geburtstag. Er hat eine Party gemacht und viele Freunde eingeladen. Sie haben bis elf Uhr abends gefeiert. Sie hatten super Musik. Sie haben viel getanzt und natürlich auch etwas gegessen und getrunken. Tobias hat viele Geschenke bekommen. Seine Oma hat ihm ein Computerspiel geschenkt. Jetzt schreibt Tobias seiner Oma einen Brief. Er bedankt sich für das Geschenk. Er erzählt ihr auch von der Party.

Schreib den Brief. Schreib so:

Koblenz, den …

Liebe Oma,

…

36. Lesetext: „Herr Knoll ist zornig".

Das Kind der Nachbarin hat ihn wieder geweckt[1]. Es ist ein kleines Kind. Erst zehn Tage ist es alt. Es schreit oft. Und es schreit kräftig.

Herr Knoll schläft gern ein Stündchen nach dem Mittagessen. Aber das Baby von nebenan lässt ihn nicht schlafen. Herr Knoll wälzt sich auf dem Sofa hin und her.

5 „Dieses schreckliche Kind!" murrt er[2].

Vor drei Tagen hat die Nachbarin ihr Baby heimgebracht. Und seither brüllt es immer dann, wenn er seinen Mittagsschlaf halten will.

Heute stört es ihn besonders.[3] Denn heute ist Herr Knoll ohnehin enttäuscht und verbittert[4]. Er hat heute Geburtstag. Den siebzigsten.

10 Aber niemand hat ihm gratuliert. Niemand hat ihm eine Glückwunschkarte geschickt. In seinem Briefkasten hat er bloß einen Reklamezettel gefunden. Den hat er zerknüllt und in den Ofen gesteckt.

Eine Weile starrt Herr Knoll auf die Wand, die ihn von der Nachbarwohnung trennt. Dann springt er plötzlich auf. Wütend hämmert er an die Wand, bis ihn die Hand

15 schmerzt. „Na also!" sagt er befriedigt, denn auf einmal ist das Baby still.

Da schrillt die Türklingel.[5]

Draußen steht die Nachbarin. Mit dem Kind in den Armen. Sie lächelt Herrn Knoll verlegen an.

„Entschuldigen Sie", sagt sie. „Ich hab' gedacht –"

20 „Was?" fragt Herr Knoll stirnrunzelnd.

„Es hätte ja sein können, dass Sie hingefallen sind oder dass Ihnen schlecht ist und dass Sie Hilfe brauchen", stößt die Nachbarin hervor. „Da hab' ich eben gedacht, ich müsste mich kümmern um Sie[6]." „Wieso denn?" ächzt Herr Knoll. „Kümmern? Um mich?" Die meint es ehrlich, denkt er verwirrt.

25 Die Nachbarin hat sein Klopfen gehört. Doch sie hat es missverstanden[7]. Sie hat gemeint, dass der Nachbar Hilfe braucht. Herr Knoll reibt seine Bartstoppeln. Er schaut auf das rote Gesicht des winzigen Kindes und fragt: „Das ist aber noch ganz jung, wie?"

„Zehn Tage und vier Stunden", sagt die Nachbarin. „Katharina heißt sie. Mein Mann und ich sind sehr glücklich, wir haben uns nämlich eine Tochter gewünscht." Herr Knoll

30 hüstelt. „So etwas – sie hat schon Haare." „Na ja, ein paar ganz dünne", sagt die Nachbarin und zieht sich langsam zu ihrer Tür zurück.

„Entschuldigen Sie, jetzt muss sie ihre Mahlzeit[8] bekommen, ich mache alles genau nach der Uhr."

„Selbstverständlich", sagt Herr Knoll. Die Nachbarin nickt ihm durch den Türspalt zu.

35 „Ich bin froh, dass Ihnen nichts fehlt[9]." „Danke schön", murmelt Herr Knoll.

Zutiefst erstaunt wandert er in seiner Wohnung umher. Sie ist froh, dass ihm nichts fehlt. Es gibt einen Menschen, der sich um ihn Sorgen macht. So verlassen[10], wie er geglaubt hat, ist er gar nicht. Herr Knoll kommt aus dem Wundern nicht heraus.

Nun hat er zum Geburtstag doch noch ein Geschenk bekommen. Noch dazu ein

40 besonders schönes.

Vera Ferra-Mikura

---

1 wach machen
2 sagt er böse
3 Heute macht es ihn besonders nervös.
4 sehr traurig und böse

5 Es läutet an der Tür.
6 ich müsste Ihnen helfen
7 falsch verstanden
8 Essen

9 dass Sie gesund sind
10 allein

Lektion 1

a) Der Text ist nicht ganz einfach. Du meinst, du kannst nur wenig verstehen? Aber nein! Nimm ein Lineal und einen Bleistift und unterstreiche alles, was du verstehst. Du wirst sehen, du verstehst viel!

b) Welche Überschrift passt zu den Textabschnitten? Ordne zu.

Zeile 1 – 7		a		Die Nachbarin kommt.
Zeile 8 – 12		b		Herr Knoll ist glücklich.
Zeile 13 – 15		c		Herr Knoll möchte schlafen.
Zeile 16 – 24		d		Herr Knoll wird böse.
Zeile 25 – 35		e		Herr Knoll ist traurig.
Zeile 36 – 40		f		Herr Knoll lernt die Nachbarin kennen.

c) Wie steht es im Text?

1. Herr Knoll kann nicht schlafen. Das Baby ist so laut.

   _____

2. Niemand hat ihm „Alles Gute zum Geburtstag" gewünscht.

   _____

3. Das Kind ist noch ganz klein.

   _____

4. Die Nachbarin sagt: „Ich bin froh, dass Sie gesund sind."

   _____

5. So allein, wie er gemeint hat, ist er gar nicht.

   _____

A–E **37. Ergänze in der richtigen Form: _haben – sein_.**

a) Gestern _____ ich zum ersten Mal Nasi Goreng gegessen. Und es _____

   mir gut geschmeckt.

b) Am Samstag _____ Anja und Tobias ins Kino gegangen. Aber ich _____

   nicht mitgegangen. Im Fernsehen war eine Modenschau.

c) Was _____ du denn den ganzen Nachmittag gemacht? – Florian und ich

   _____ Gitarre geübt.

d) _____ dir der Film gefallen? – Ja, sehr gut.

e) _____ ihr mein Zimmer schon gesehen? Ich _____ endlich mal aufgeräumt.

18

f) Im letzten Sommer _____ wir an den Bodensee gefahren. Wir _____ eine

Woche bei Tante Martha geblieben.

g) Ich _____ mein Zimmer neu eingerichtet. Früher _____ ein Sofa am Fenster

gestanden. Jetzt steht da der Schreibtisch.

h) Tobias _____ beim Stadtmarathon mitgemacht. Aber er _____ nicht ans Ziel

gekommen.

A–E

38. Ergänze: *ein / kein – einen / keinen – eine / keine – einer / keiner – eins / keins.*

a) Ich brauche _____ Stuhl. – Hier ist doch _____ .

b) Papi, wir bekommen noch Taschengeld. – Was? Habt ihr denn diese Woche noch _____

bekommen?

c) Warum gibt es denn heute _____ Fisch? – Opa kommt zum Essen. Der mag doch

_____ .

d) Oh, das ist aber _____ super Poster. So _____ möchte ich auch haben.

e) Ich möchte zum Geburtstag _____ Torte. – Gut, ich mache dir _____ .

f) Entschuldigung, ich habe hier _____ Pulli vergessen. – Tut mir leid, hier ist

_____ .

g) Möchtest du _____ Banane? – Nein danke, ich mag jetzt _____ .

h) Ist hier _____ Fernseher? – Doch, aber der ist kaputt.

39. Antworte mit *ja – nein – doch.*

A–E

Schreib in dein Heft. Verwende die Wörter in Klammern.

Beispiel: Gefällt dir mein Zimmer nicht? (sehr gut) *Doch, es gefällt mir sehr gut.*

a) Schmeckt dir Sauerkraut? (überhaupt nicht)

b) Esst ihr gern Schweinebraten? (sehr gern)

c) Macht ihr nie Hausaufgaben? (immer)

d) Gibt es heute keinen Krimi im Fernsehen? (später)

e) Gehört dir die Lederjacke? (leider nicht)

f) Willst du nicht Geschirr spülen? (keine Lust)

g) Hast du zu Hause einen Fernseher? (in meinem Zimmer)

A 1 **1. Ergänze die Adjektive.**

> klare – exotische – wilde – alte – freundliche – bunte – romantische – abenteuerlustige

Albino-Reisen

Abenteuer im Dschungel

Wir führen Sie in den Dschungel Borneos.

Dort gibt es _____ Pflanzen und _____ Tiere. An keinem anderen Ort der Erde gibt es so _____ Farben und so _____ _____ Flüsse. Sie erleben _____ Nächte. Sie besuchen _____ Kulturstädte und lernen _____ Dschungelbewohner kennen. Eine super Reise für _____ Leute.

Kommen Sie mit!

A 1 **2. Womit fahren die Leute?**

Ergänze.

a) Wir fahren _____ von Genua nach Korsika.

b) Fährst du _____ ins Schwimmbad? – Nein, mein Fahrrad ist kaputt.

c) Fahrt ihr _____ nach Frankreich? – Nein, meine Mutter fährt nicht gern Auto.

d) Warum fährst du denn nicht _____ ? – Ach, im Zug ist es immer so langweilig.

e) Hoffentlich fahren wir nicht _____ auf den Schulausflug. Im Bus wird es mir immer so schlecht.

A 1/2 **3. Schreib den Brief richtig in dein Heft.**

Denk an die Großschreibung und an die Satzzeichen (. , ! ?).

LIEBESONJAWIRSINDJETZTSCHONEINEWOCHEINKORSIKAHIERGIBTESTOLLESANDSTRÄNDE
ESSINDAUCHNICHTVIELETOURISTENDAWIRHABENDENSTRANDGANZFÜRUNSALLEINDIEJUNGEN
HIERSINDNETTSIEHELFENBEIMKOCHENHASTDUDASSCHONEINMALZUHAUSEGESEHEN
MORGENFAHRENWIRINSLANDESINNEREWEILESDORTEINENNATURPARKGIBTALLESLIEBE
TSCHÜSDEINECONNY

4. Suche drei Nebensätze mit *weil*.

Ich möchte nicht zu Oma fahren,

weil _____

weil _____

weil _____

| Paul | muss | immer | zu | lieber | am | mit | Samstag | Oma |
| eine | ich | Hause | spazieren gehen | Party | ich | bleiben | macht | möchte |

5. Was sagt Petra?

Petra weiß alles über Korsika … von Jan!

Jan hat erzählt: „Dort ist das Meer immer warm. Das Wasser ist ganz sauber. In Korsika gibt es keine Industrie. Dort ist immer Wind. Man kann toll windsurfen. Die Leute sind sehr nett. Und das Essen schmeckt super. Die Campingplätze sind viel schöner als bei uns. Dort gibt es viele junge Leute. Man findet sofort Freunde."

Petra berichtet ihrer Freundin, was Jan ihr von Korsika erzählt hat.
Petra sagt:
Jan hat erzählt,

dass das Meer dort immer warm ist. _____

dass _____

_____

_____

_____

_____

_____

_____

Lektion 2

6. Verbinde die beiden Sätze mit *weil*.

a) Claudia zieht schicke Klamotten an. Sie geht auf eine Party.
   Claudia zieht schicke Klamotten an, weil _____

   _____

b) Jörg kann nicht Fußball spielen. Sein Fuß tut weh.

   _____

   _____

c) Max ist traurig. Er hat eine Sechs in Chemie.

   _____

   _____

d) Kirsten kann die Hausaufgaben nicht machen. Sie hat ihr Buch in der Schule vergessen.

   _____

   _____

e) Ich gehe heute abend ins Kino. Ein Film von Charlie Chaplin läuft.

   _____

   _____

f) Wir fahren in den Ferien nach Spanien. Wir wollen Spanisch lernen.

   _____

   _____

A 2 **7. Verbinde die Satzteile mit Pfeilen.**

Verwende verschiedene Farben.

1	Klaus meint,		a	er schon oft in Amerika war.
2	Carina ist traurig,		b	Autostopp sehr gefährlich ist.
3	Meine Eltern haben gesagt,	**dass**	c	wir am Wochenende zu Oma fahren.
4	Eva möchte nach Ungarn,	**weil**	d	alle Mädchen ihn toll finden.
5	Wir fahren immer mit dem Zug,		e	mein Vater nicht gern Auto fährt.
6	Ich kann am Samstag nicht kommen,		f	ihr Freund dort Ferien macht.
7	Jens hat mir erzählt,		g	sie nicht zur Party darf.

Schreib die Sätze in dein Heft.

8. „Ich möchte mich mal langweilen."

Ordne den Text.

☐	„Keine Lust."
☐	„Nichts", antwortete Thomas.
1	„Und was machen wir nun?", fragte Petra.
☐	„Einfach nur langweilen? Wie kommst du denn darauf?"
☐	„Nichts? Und wieso nichts?"

☐	„Zu was hast du denn keine Lust?"
☐	„Weil ich keine Lust habe."
☐	„Zu gar nichts!", sagte Thomas. „Ich will mich einfach nur langweilen."
☐	„Keine Lust?"
☐	„Nur so. Hier bei uns ist immer etwas los. Ich möchte mal, dass gar nichts los ist."

(Text von Wolfgang Altendorf)

9. Campingurlaub

Was nimmst du mit? Ergänze die Tabelle.

einen	ein	eine	viele
Schlafsack	Taschenmesser	Landkarte	Dosen

10. Ergänze *mit/ohne* und die Artikel/Possessivartikel.

a) Kommst du _____ Freund? – Nein, ich komme allein.

b) Wir fahren _____ Auto nach Österreich.

c) Musst du immer diese Jacke anziehen? – Ja, natürlich. _____ Jeansjacke

   gehe ich nicht aus dem Haus.

d) Was macht ihr im Sommer? – Wir fahren _____ Eltern in die Türkei.

e) Stell dir vor, ich wollte nach Frankreich fahren und habe meinen Ausweis vergessen. – Ja,

   _____ Ausweis kommt man nicht weit.

f) Ich bin froh, dass ich diesen Sommer _____ Eltern Ferien machen kann. Ich

   fahre viel lieber mit Freunden weg.

11. Ergänze.

Bahnhof

das Gleis

Lektion 2

B 1/2 **12. Schreib vier kleine Dialoge in dein Heft.**

Bitte, eine Fahrkarte nach München.   Einfach oder hin und zurück?   Einfach bitte.

Wieviel Minuten?   Was kostet denn die Fahrt nach Berlin mit dem ICE?

Auf Gleis neun.

Hm, das wird aber teuer. Ich glaube, ich nehme lieber einen normalen Zug.

Entschuldigen Sie, wo fährt denn der Zug nach Paris ab?

Danke schön.   Zwanzig.   Schau mal, unser Zug hat Verspätung.

So ein Mist. Jetzt müssen wir so lange warten.   Einfach 127 Mark. Hin und zurück 254 Mark.

B 3 **13. Ergänze die Tabelle.**

	Maskulinum	Neutrum	Femininum	Plural	
Betreten	des Schulhofs				**verboten!**

Schulhof – Gleise – Turnhalle – Lehrerzimmer

B 3 **14. Wer ist das?**

Ergänze: *des/der – meines/meiner.*

a) Der Bruder _____ Mutter _____ Bruders ist mein _____ .

b) Die Mutter _____ Vaters _____ Bruders ist meine _____ .

c) Die Schwester _____ Vaters _____ Schwester ist meine _____ .

d) Der Vater _____ Bruders _____ Mutter ist meine _____ .

e) Die Mutter _____ Schwester _____ Vaters ist meine _____ .

f) Die Kinder _____ Kinder _____ Großeltern sind meine _____ .

B 1–3 **15. Silbenrätsel**

Finde zwölf Wörter.

Ab – Bahn – Bahn – ci – Fahr – Fahr – fahrt – Ge – Glei – hof – In – kar – let – ner – päck – plan – Schaff – Schal – schlag – se – steig – te – te – ter – ter – Toi – ty – Zu

16. Schreib kleine Dialoge in dein Heft. C 5/6

Beispiel:

▲ Du, Papi hat nächste Woche Geburtstag.
● Ich weiß, ich habe schon was.
▲ Was denn?
● Ich schenke ihm ein Hemd.

a) Corinna
b) Alexander
c) Peter und Paul

Denk dir selbst Geschenke aus.

17. Ergänze: *mir – dir – ihm – ihr – uns – euch – ihnen – Ihnen.* C 5/6

a) Isst du auch so gern Fisch? – Nein, Fisch schmeckt _____ nicht.

b) Hast du schon gehört? Markus hat eine Eins in Mathe. – Ich weiß. Ich habe _____ ja

   geholfen.

c) Hallo, ihr beiden. Gehört _____ der Hund? – Nein, der gehört unserer Tante. Wir gehen nur

   mit _____ spazieren.

d) Schau mal, die alte Dame da! Die hat aber viel Gepäck. – Komm, wir helfen _____ .

e) Leihst du _____ deinen Cassettenrecorder? – Ich leihe _____ gar nichts!

f) Sag mal, was schenkst du denn deinen Großeltern zu Weihnachten? – Ich schenke _____

   einen Kalender.

g) Entschuldigen Sie bitte, gehört _____ die Tasche?

h) Wie findet ihr eigentlich Technorock? – So eine Musik gefällt _____ überhaupt nicht.

18. Ein Brief C 5/6

Peter und Paul, Zwillinge aus Kempten, haben von ihren Großeltern eine Tischtennisplatte zum
Geburtstag bekommen. Jetzt schreiben sie den Großeltern einen Brief.
– Sie fragen, wie es ihnen geht.
– Sie danken ihnen für das Geschenk.
– Sie erzählen, dass Papi die Tischtennisplatte schon im Garten aufgestellt hat und dass sie ihm dabei
  geholfen haben.
– Sie haben auch schon Tischtennis gespielt. Und es macht ihnen viel Spaß.
– Sie erzählen auch ein bisschen von der Schule.
Zum Schluss schreiben sie noch, dass sie in den Ferien zu den Großeltern kommen wollen.

Schreib den Brief in dein Heft.

Lektion 2

D 1 **19. Ergänze die Sätze in der rechten Spalte.**

Ich möchte …

a) mit Paul Musik hören.   *Ich gehe zu Paul.*

b) windsurfen.   *Ich fahre*

c) tanzen.   _____

d) keine Halsschmerzen mehr haben.   _____

e) schwimmen.   _____

f) wandern.   _____

g) ein Geschenk für Oma kaufen.   _____

h) einen Vulkan besteigen.   _____

i) Schi fahren.   _____

j) schlafen.   _____

k) den Kölner Dom sehen.   _____

l) mit Tommy Tennis spielen.   _____

m) die Marsmännchen kennen lernen.   _____

> *Mars – Meer – Arzt – Tennisplatz – Vesuv – Disco – Stadt – Köln – P̶a̶u̶l̶ – Schwimmbad –*
> *Hause – Berge – Alpen*

D 1/2 **20. Was passt nicht?**

In jedem Satz passt ein Ort nicht. Streiche ihn durch.

a) Ich gehe | ins Kino.
zu Klaus.
in den Ferien in die USA.
zum Arzt.

d) Wir wohnen | bei meiner Tante.
in der Türkei.
im See.
im Wohnmobil.

b) Ich gehe | im Park
in der Stadt
am Meer
nach Frankreich | spazieren.

e) Ich spiele | auf dem Sportplatz | Volleyball.
am Meer
im Flugzeug
am Strand

c) Wir fahren | in den Zug.
aufs Land.
zu Oma.
nach Paris.

Schreib die richtigen Sätze in dein Heft.

D 1/2

21. Der Angeber

Wolfgang ist ein Angeber. Er weiß alles besser. Er war schon überall. Das sagt er wenigstens.

Das sagt Klaus: *Das sagt Wolfgang:*

a) Ich fahre im Sommer nach England.   *Ich war schon oft in England.*

b) Ich fahre am Wochenende in die Berge.   *Ich war schon oft*

c) Ich bin am Sonntag zu meiner Tante gefahren.   *Ich war*

d) Ich fahre in den Ferien an die Nordsee.   _____

e) Ich möchte so gern mal auf den Feldberg steigen.   _____

f) Ich fahre gern aufs Land.   _____

g) Vielleicht fahre ich bald in die Schweiz.   _____

22. Ergänze.

D 1/2

nach	am	zum	im	an den	nach	bei	in die	ins	an die
auf dem	bei	am	in	auf den	am	auf den	in den		

a) Wir sind jedes Jahr _____ unserer Oma _____ Wien.

b) Nächste Woche fliegen wir _____ Australien.

c) Bist du schon einmal _____ Bodensee gewesen?

d) Wer ist denn eigentlich als Erster _____ Mount Everest gestiegen?

e) _____ Dschungel gibt es viele verschiedene Tiere.

f) Am Samstag bin ich _____ Klaus.

g) Meine Großeltern haben ein Haus _____ Land.

h) Wir fahren nächste Woche _____ Schweiz zum Schi fahren.

i) Ich habe drei Jahre lang _____ USA gewohnt.

j) Tim fährt im Sommer immer _____ Gardasee.

k) Wohin fährt denn eure Klasse? – _____ Ostsee.

l) Kommst du am Dienstag zum Fest? – Ich kann nicht. Ich muss _____ Arzt.

m) Was machst du denn den ganzen Tag _____ Meer? – Ach, ich liege _____ Strand und faulenze.

n) Ich möchte so gern zum U2-Konzert _____ Berlin fahren!

o) Wir fahren mit meinem Onkel und meiner Tante an Sylvester _____ Fichtelgebirge.

p) _____ Fidschiinseln muss es toll sein!

Lektion 2

D 1/2 **23. Ergänze die Präpositionen und Artikel (wenn nötig).**

Morgen fangen die Ferien an. Und wir wissen immer noch nicht, wohin wir fahren. Letztes Jahr waren wir

_____ Gebirge. Wir sind viel gewandert. Das war vielleicht anstrengend! Dieses Jahr wollen

meine Eltern wieder _____ Deutschland bleiben. Papa fährt nämlich nicht gern so weit

_____ Auto. Sie wollen _____ Tante Helene _____ Land oder

_____ Onkel Alfred _____ Bodensee. Das stelle ich mir vielleicht langweilig vor!

Holger hat es gut! Er fliegt _____ Eltern _____ USA! Sie wohnen

_____ Freund _____ San Francisco, und dann fahren sie _____

Los Angeles.

Und ich bin dann _____ Bodensee oder _____ Tante Helene. Ich glaube, ich

bleibe lieber _____ Hause.

D 1/2 **24. Schreib die Postkarte in dein Heft.**
Ergänze die Sätze.

Lieber Toni,

ich bin jetzt schon eine Woche ▮▮▮▮ München. Wir wohnen direkt
▮▮▮▮ Fluss mitten ▮▮▮▮ Stadt.
Bei uns ▮▮▮▮ Hause ▮▮▮▮ Bergen ist es ja viel ruhiger. Tag und
Nacht fahren hier die Autos ▮▮▮▮ Straße vor unserem Haus.
Ich schlafe trotzdem gut, weil ich abends so müde bin. Heute waren wir
▮▮▮▮ Olympiaturm, und dann haben wir ein Museum besucht.
Gestern Mittag waren wir ▮▮▮▮ Marienplatz und haben das
Glockenspiel angeschaut. Es ist alles so interessant hier! Aber manchmal,
das sage ich ganz ehrlich, habe ich schon ein bisschen Heimweh. ▮▮▮▮
Land fühle ich mich einfach wohler.
Also, bis bald!

deine Therese

25. Was kannst du noch sagen? `D 4`

a) Das ist doch nicht wahr!

1	Das ist doch nicht interessant!
2	Das ist doch nicht wirklich!
3	Das stimmt doch nicht!

b) So ein Quatsch!

1	So ein Mist!
2	So ein Blödsinn!
3	So ein Spaß!

c) Da habe ich aber etwas anderes gehört.

1	Da habe ich nicht gut zugehört.
2	Deine Information ist meiner Meinung nach nicht richtig.
3	Die Leute sagen immer etwas anderes.

d) Meiner Meinung nach ist es in der Jugendherberge lustiger als auf dem Campingplatz.

1	Ich finde, dass es in der Jugendherberge lustiger ist als auf dem Campingplatz.
2	Ich hoffe, dass es in der Jugendherberge lustiger ist als auf dem Campingplatz.
3	Ich war schon oft in der Jugendherberge, aber noch nie auf dem Campingplatz.

26. Was passt zusammen? `D 6–8`

1	Das Buch liegt
2	Leg die Zeitung
3	Die Schüler gehen
4	Die Schuhe stehen
5	Jürgen liegt
6	Die Schüler sind
7	Stell den Kuchen
8	Ich stelle die Schultasche immer

a	im Bett.
b	in der Schule.
c	unter dem Schrank.
d	auf dem Tisch.
e	unter den Schreibtisch.
f	in die Schule.
g	auf den Tisch.
h	in der Schublade.

1	2	3	4	5	6	7	8
a, b, c, d, h							

29

Lektion 2

D 6–8 **27. Antworte.**

a) Warum liegt der Bleistift nicht auf dem Schreibtisch?

   Keine Ahnung! Ich habe ihn auf den Schreibtisch gelegt.

b) Warum steht der Blumentopf nicht am Fenster?

   Keine Ahnung! Ich habe

c) Warum liegt das Messer nicht in der Schublade?

d) Warum liegt die Zeitung nicht auf dem Fernseher?

e) Warum liegt die Cassette nicht im Regal?

f) Warum steht der Sessel nicht neben dem Tisch?

g) Warum steht das Fahrrad nicht in der Garage?

D 6–8 **28. Dieser Pumuckl!**

a) Schau Bild 1 an und beantworte dann die Fragen.

Wo	liegt	das Taschenmesser?	*Es liegt auf dem Bett.*
	steht	das Handtuch?	*Es*
	ist	die Schere?	*Sie*
		der Tesafilm?	
		der Rucksack?	
		das Tagebuch?	
		der Cassettenrecorder?	
		die Cassette?	

b) Pumuckl ist ein Kobold. Er versteckt immer alles. Schau Bild 2 an und beantworte dann die Fragen.

Wohin hat Pumuckl die Sachen	gelegt?
	gestellt?

Er hat das Taschenmesser unter das Bett gelegt.

Er hat das Handtuch

Lektion 2

E 1/2 **29. Berühmte Personen**

Woher kommen sie? Ergänze.

Name	Land	Nationalität
Elvis Presley	USA	Amerikaner
Steffi Graf	Deutschland	
Wolfgang Amadeus Mozart	Österreich	
Agatha Christie	England	
Friedrich Dürrenmatt		Schweizer
Mikis Theodorakis	Griechenland	
Pablo Picasso	Spanien	
Brigitte Bardot		Französin
Mao Tse-tung	China	

A–E **30. Welche Antwort passt?**

a) Seid ihr Spanier?

1	Ja, wir sind spanisch.
2	Nein, aber wir kochen Spanier.
3	Ja, wir kommen aus Madrid.

b) Wo ist denn mein Schlafsack?

1	Er liegt aber nicht auf dem Tisch.
2	Liegt er auf dem Tisch?
3	Ich habe ihn auf den Tisch gelegt.

c) Gehören Ihnen die Koffer?

1	Euch gehören die Koffer.
2	Ja, das sind meine.
3	Ach, das sind ihre Koffer.

d) Bitte eine Fahrkarte für den Intercity nach Dortmund.

1	Der fährt auf Gleis drei.
2	Der hat aber 20 Minuten Verspätung.
3	Einfach oder hin und zurück?

e) Entschuldigen Sie, ist der Zug nach Hamburg schon da?

1	Ja, er ist pünktlich angekommen.
2	Er kommt immer auf Gleis 10.
3	Ja, er fährt heute nicht ab.

f) Warum fahren wir nicht ans Mittelmeer?

1	Ich bin nicht am Mittelmeer.
2	Gute Idee!
3	Ich will aber ans Mittelmeer!

31. Lesetext: „Seife¹ kaufen".

Eine Gruppe von Touristen ist in einem fremden Land, und keiner versteht die Sprache, die hier gesprochen wird.

Schon am zweiten Reisetag gibt es Schwierigkeiten: Eine Frau hat ihre Seife vergessen. Nun war sie schon in zwei Läden, aber dort hat man nicht verstanden, was sie wollte.

5 In der Nähe ist ein Laden. Alle gehen dorthin, und ein Mann wird mit Gelächter durch die Tür geschoben. Die anderen bleiben draußen und beobachten durch die Schaufensterscheibe, was drinnen geschieht.

Im Laden ist ein Verkäufer. Er begrüßt den Mann. Der Mann sagt nichts. Er reibt seine Hände, als wasche² er sie.

10 Der Verkäufer muss glauben, der Mann sei taubstumm. Weil er nicht weiß, was er tun soll, reibt auch er seine Hände und lächelt freundlich dazu.

Der Mann reibt sein Gesicht mit den Händen.

Nun glaubt der Verkäufer, ihn zu verstehen. Er nimmt eine Tube Hautcreme aus dem Regal, schraubt sie auf und lässt den Mann daran riechen.

15 Der Mann schiebt die Tube ärgerlich weg.

Er reibt jetzt seinen Hals und fährt sich mit den Fingern in die Ohren.

Der Verkäufer versteht: Hals- und Ohrenschmerzen. Schnell holt er ein Paket Watte und Gurgelwasser. Er zeigt dem Mann mit den Fingern, wie viel Tropfen Gurgelwasser er nehmen soll, gurgelt ihm etwas vor, dreht schnell ein Wattepfröpfchen und stopft es dem

20 Mann ins Ohr.

Wütend reißt der Mann die Watte wieder heraus.

Er zieht seine Jacke aus und rubbelt sie.

Der Verkäufer holt Fleckenwasser, nimmt dem Mann die Jacke aus der Hand und sucht nach dem Flecken, der entfernt werden soll.

25 Inzwischen hat der Mann auch sein Hemd ausgezogen. Er reibt sich die nackte Brust. Schon rennt der Verkäufer und bringt ein Unterhemd.

Der Mann reißt ihm das Hemd aus der Hand und schleudert es auf den Ladentisch.

Nun hebt er beide Arme über den Kopf, prustet und schnaubt und spielt dem Verkäufer „duschen" vor.

30 Die anderen draußen biegen sich vor Lachen.

Der Verkäufer greift sich an den Kopf. Er hat es wohl mit einem Verrückten zu tun. Er rennt aus dem Laden.

Kaum ist der Mann allein, springt er hinter den Ladentisch und wühlt in Fächern und Schubladen.

35 Er findet Seife, wirft einen Geldschein auf den Tisch, rafft seine Kleider zusammen und rennt zur Tür.

Da kommt der Verkäufer mit einer Frau zurück in den Laden.

Der Mann schreit: „Seife!", zeigt das Seifenstück, deutet auf den Geldschein und läuft hinaus.

40 Draußen wirft er der Frau die Seife zu und rennt weg, immer noch halbnackt.

Lachend laufen die anderen Touristen hinterher, und hinter denen her laufen der Verkäufer und die Frau aus dem Laden. Sie wollen dem Mann Geld zurückgeben. Er hat die Seife viel zu teuer bezahlt.

Das rufen sie den Touristen nach – auf deutsch!

Ursula Wölfel

---

1   2 sauber machen

Lektion 2

a) Such die Verben in deinem Wörterbuch. Spiel sie dann in der Klasse ohne Worte (pantomimisch).

> *schieben – reiben – waschen – schrauben – gurgeln – drehen – rubbeln – schleudern –*
> *prusten – schnauben – biegen – raffen (zusammenraffen) – schreien*

b) Übersetze die Wörter. Schau in deinem Wörterbuch nach.

taubstumm   _____

die Tube   _____

die Watte   _____

wütend   _____

der Fleck(en)   _____

c) Stell dir vor, ihr spielt die Geschichte als Theaterstück. Wie sind die Szenen in der richtigen Reihenfolge? Ordne die Abschnitte.

☐	Der Mann ist allein im Laden, er sucht und findet Seife, er legt den Geldschein hin und will weglaufen.	Zeile ___ – ___
☐	Die anderen Touristen beobachten das alles von draußen.	Zeile ___ – ___
☐	Der Mann reibt seinen nackten Oberkörper – der Verkäufer bringt ihm ein Unterhemd.	Zeile ___ – ___
☐	Draußen wirft er der Frau die Seife zu und rennt weg. Die anderen Touristen laufen hinterher. Der Verkäufer und die Frau kommen aus dem Laden und laufen hinterher. Sie rufen auf Deutsch, dass sie dem Mann Geld zurückgeben wollen.	Zeile ___ – ___
☐	Der Verkäufer und die Frau kommen. Der Mann schreit: „Seife!", zeigt auf das Geld und läuft hinaus.	Zeile ___ – ___
1	Das Spielfeld ist leer. Die Touristengruppe kommt. Die Frau jammert wegen der Seife.	Zeile ___ – ___
☐	Der Mann reibt seine Jacke – der Verkäufer holt Fleckenwasser.	Zeile ___ – ___
☐	Der Mann reibt sich Hals und Ohren – der Verkäufer bringt Gurgelwasser und Watte.	Zeile ___ – ___
☐	Die anderen Touristen lachen.	Zeile ___ – ___
☐	Der Mann „duscht" – der Verkäufer läuft aus dem Laden.	Zeile ___ – ___
☐	Der Mann reibt sein Gesicht – der Verkäufer holt Hautcreme.	Zeile ___ – ___
☐	Alle gehen zum Laden hinüber. Der Mann geht in den Laden. Der Verkäufer begrüßt den Mann.	Zeile ___ – ___
☐	Beide reiben sich die Hände.	Zeile ___ – ___

d) Lies die Szenen in der richtigen Reihenfolge. Zu welchen Abschnitten in der Geschichte passen sie? Schreib die Zeilen.

e) Spielt die Szenen in der Klasse.

Spieler:	6 (oder mehr): Die Frau, der Mann, zwei andere Touristen (oder mehr), der Verkäufer, die Frau im Laden
Schauplatz:	Laden und Straße (Die Schaufensterscheibe stellt man sich vor.)
Gegenstände:	Tisch, Tube, Watte, 2 Fläschchen, Unterhemd, Seife, Geld
Kostüme:	für die Touristen: Sonnenbrillen, Fotoapparate; für den Verkäufer: Kittel

32. Antworte im Perfekt.

A–E

Verwende *... doch erst ...*

a) Wir wollen heute Spaghetti kochen.

   Was? Ihr habt doch erst _____

b) Willst du dir einen Pulli stricken?

   Nein, ich habe mir doch erst _____

c) Wir wollen am Wochenende auf den Feldberg steigen.

   Was? _____

d) Will Jürgen eine Radtour machen?

   Nein, _____

e) Willst du bei dem Marathonlauf mitmachen?

   _____

f) Wir wollen uns eine Kamera kaufen.

   _____

g) Willst du dir die Ferienfotos noch mal ansehen?

   _____

h) Maria will heute 10 Kilometer laufen.

   _____

Lektion 2

33. Ergänze in der richtigen Form: *mein – dein – sein – ihr – unser – euer – Ihr.*

a) Habt ihr _____ Rollschuhe mitgenommen?

b) Hast du _____ Rucksack schon gepackt?

c) Wir fahren oft mit der ganzen Familie aufs Meer hinaus. In _____ Schlauchboot ist nämlich Platz für fünf Personen.

d) Ach, Mist, _____ Schlafsack ist kaputt. Was mache ich denn jetzt?

e) Anna kann ohne _____ Teddy nicht einschlafen.

f) Können Sie den Koffer in _____ Auto mitnehmen, Herr Braun?

g) Martin hat _____ Gepäck am Fahrkartenschalter vergessen.

h) Komm, wir müssen schneller laufen. _____ Zug fährt gleich ab.

i) Was hast du denn da in _____ Koffer?

34. Schreib die Sätze richtig.

Verwende die richtige Verbform.

a) auf Gleis drei – Der Zug – abfahren

　　Der Zug fährt auf Gleis drei ab.
_____

b) hier – Du – müssen – einsteigen

_____

c) du – Können – die Koffer – mir – hinaustragen

_____

d) gleich – Der Intercity – einfahren

_____

e) um zwei Uhr – Ich – in Innsbruck – ankommen

_____

f) Ich – das Schlauchboot – mitnehmen – ans Meer – dürfen

_____

g) ihr – bei uns – Wollen – mitessen

_____

h) Matze – im Zug – zwei Mädchen – ansprechen

_____

i) Maria – noch nicht – jetzt – möchten – heimfahren

_____

1. Welche Kleidungsstücke sind das?

A 1

Schreib die Wörter richtig in die Tabelle.

der	das	die	die (Plural)

ILLUP – AELNMT – EDIKL – AEHIRSSTTW – AEJNS – EFHMOPRSSTU – EEFILST – EDHMNRTU – AGNUZ – CKOR – EHOS – CEKNOS – ACEJK –EDHM – EFMPRSTÜ – EGLRTÜ – EMTÜZ – HIRSTT – BELSU – CEHHSU

2. Zu welcher Person passen die Sätze?

A 3

Schreib A oder B in die Kästchen. Vorsicht! Manche Sätze passen gar nicht.

Ⓐ   Ⓑ

- [ ] Ihr Rock ist lang und kariert.
- [ ] Ihre Jacke ist weit und lang.
- [ ] Ihre Bluse ist gepunktet.
- [ ] Ihr Rock ist kurz und kariert.
- [ ] Ihre Bluse ist gestreift.
- [ ] Ihr Rock ist kurz.
- [ ] Ihre Jacke ist kurz und gestreift.
- [ ] Ihre Bluse ist gemustert.
- [ ] Ihr Rock ist gestreift.
- [ ] Ihre Jacke ist gemustert.
- [ ] Ihre Jacke ist eng.

3. Schreib sechs kleine Dialoge in dein Heft.

A 4–6

Nein, der ist zu weit.

Woher hast du denn die tolle Jacke?

Gefallen dir die engen Jeans?

Nimmst du den roten Rock?

Ich weiß nicht. Er ist so lang.

Warum nicht? Es ist ja nicht teuer.

Ja, die sind wirklich schick.

Von meiner Schwester.

Steht mir der weite Mantel?

Warum sind denn alle Stiefel so hoch?

Soll ich das gelbe Sweatshirt nehmen?

Das ist diesen Winter Mode.

Lektion 3

A 4–6 **4. Ergänze mit der richtigen Endung:** *rot – blau – weit – eng – lang – kurz – neu.*

a) Nimmst du das _____ Hemd? – Nein, Rot gefällt mir nicht.

b) Mit deiner Figur kannst du doch den _____ Rock gut tragen.

c) Ist das deine _____ Jacke?

d) Soll ich die _____ oder die _____ Hose nehmen? – Im Sommer

   ist die _____ Hose vielleicht besser.

e) Wie gefällt dir der _____ Mantel? – Der _____ gefällt mir

   besser.

f) Ich mag die Mode von 1920. Ich finde die _____ Röcke so schick.

g) Was hast du denn heute an? Die _____ Jeans sind doch unmodern.

h) Welches Kleid steht mir besser, das _____ oder das _____ ?

A 4–8 **5. Welche Antwort passt?**

a) Schau mal, unser Klassenfoto. Welcher
   Junge gefällt dir am besten?

1	Er hat den blauen Pulli an.
2	Der blaue Pulli gefällt mir.
3	Der mit dem blauen Pulli.

b) Auf welchem Pferd möchtest du reiten?

1	Auf dem kleinen da.
2	Ich nehme das Pferd.
3	Ich reite gern.

c) Weißt du jetzt endlich, was du möchtest?

1	Ja, ich weiß, was du möchtest.
2	Ich nehme das weiße Kleid mit den roten Punkten.
3	Das weiße Kleid passt zu der roten Jacke.

d) Wer ist denn die da?

1	Das Mädchen mit dem kurzen Rock.
2	Die ist ganz nett.
3	Wer? Meinst du das Mädchen mit den langen Haaren?

e) Wie siehst du denn aus! Du kannst doch mit
   dem schmutzigen Hemd nicht aufs Schulfest
   gehen!

1	Ach, das macht doch nichts.
2	Keine Ahnung.
3	Ja, das Hemd ist schmutzig.

6. Ergänze die Tabelle. `A 4–8`

	Maskulinum	Neutrum	Femininum	Plural
Nominativ	der blaue Mantel			die weißen Schuhe
Akkusativ			die rote Hose	
Dativ		mit dem grünen Kleid		

7. Filmtitel `A 4–8`

„Der große Blonde mit dem schwarzen Schuh" war ein bekannter Film. Erfinde weitere Filmtitel.

Der kleine Schwarze mit _____

Der _____

Die kleine _____

Die _____

8. Schreib kleine Dialoge in dein Heft. `A 4–8`

Beispiel:

▲ Bluse, gelb
Rock, blau
● Bluse, hellblau

▲ *Passt die gelbe Bluse zu dem blauen Rock?*
● *Ich finde, die hellblaue Bluse passt besser.*

a) ▲ Mantel, braun
Hose, schwarz
● Mantel, schwarz

b) ▲ Schuhe, braun
Kleid, gelb
● Schuhe, weiß

c) ▲ Hose, braun
Jacke, rot
● Hose, blau

d) ▲ Anzug, grau
Stiefel, braun
● Anzug, blau

e) ▲ Jacke, blau
Kleid, grün
● Jacke, weiß

f) ▲ T-Shirt, weit
Rock, lang
● T-Shirt, eng

9. Was passt zusammen? `B 1/2`

1	Hast du diese verrückten Typen gesehen? Unmöglich!	a	Was hast du denn? Das sieht doch gut aus.
2	Also, die Kamera macht wirklich gute Fotos.	b	Oh ja! Wem sagst du das!
3	Oh Mann, war der Abend langweilig!	c	Lass mal sehen. Ja, super!
4	Meine alten Platten nehmen so viel Platz weg.	d	Warum denn? Lass sie doch!
5	Ich kann doch mit den alten Klamotten nicht ausgehen.	e	Wirf sie nur nicht weg!
6	Kleine Geschwister sind manchmal echte Nervensägen.	f	Man soll eben mit so blöden Leuten nicht ausgehen.

1	2	3	4	5	6
d					

Lektion 3

B 1/2 **10. Schreib das Gegenteil.**

a) Ich übe immer die neuen Vokabeln.

   Ich übe immer die alten Vokabeln.

b) Kurze Röcke gefallen mir nicht.

   _____

c) Alle großen Schwestern sind Nervensägen.

   _____

d) Ich mag keine engen Hosen.

   _____

e) Eva findet den Jungen mit den langen Haaren nett.

   _____

f) Das weite Hemd steht dir überhaupt nicht.

   _____

g) Junge Lehrer geben immer so viele Hausaufgaben.

   _____

h) Ich wohne gern in dem alten Haus.

   _____

B 1/2 **11. Schreib kleine Dialoge in dein Heft.**

Beispiele:

zehn Rosen, gelb　　▲ *Guten Tag. Ich möchte gern zehn gelbe Rosen.*
　　　　　　　　　　● *Tut mir leid. Wir haben keine gelben Rosen.*

Jeansjacke, schwarz　▲ *Guten Tag. Ich möchte gern eine schwarze Jeansjacke.*
　　　　　　　　　　● *Tut mir leid. Wir haben keine schwarzen Jeansjacken.*

a) Mantel, weit　　　c) Strümpfe, grün　　e) Stiefel, rot　　　g) Krawatte, weiß
b) Block, kariert　　d) Hemd, lang　　　f) Strumpfhose, dick　　h) Taschenmesser, billig

B 1/2 **12. Paula und Gustav**

Paula und Gustav waren immer ganz altmodisch angezogen. Aber jetzt sind sie ganz modern.

a) Gustav trägt keine _____*engen*_____ Hemden mehr, nur noch ganz _____*weite*_____ .

   (eng – weit)

b) Paula trägt keine _____ Röcke mehr, nur noch ganz _____ .

   (kurz – lang)

c) Gustav trägt keine _____ Hemden mehr, nur noch ganz _____ .

   (weiß – bunt)

d) Paula – Ohrringe (klein – groß)

_____

_____

e) Gustav – Schuhe (braun – weiß)

_____

_____

f) Paula – Strümpfe (dick – dünn)

_____

_____

13. Was kannst du noch sagen?　　　　　　　　　　　　　B 3/4

a) Also, der neue Mitschüler ist wirklich ein doofer Kerl.

1	Also, der Mitschüler ist wirklich ein neuer Kerl.
2	Also, den neuen Mitschüler finde ich wirklich doof.
3	Also, der neue Mitschüler ist ein Kerl.

b) Das war aber ein leckeres Essen!

1	Wer hat das leckere Essen gemacht?
2	So ein leckeres Essen esse ich gern!
3	Das Essen hat mir sehr gut geschmeckt.

c) So ein schöner Tag wie heute kommt sicher nie wieder.

1	Heute war der schönste Tag in meinem Leben.
2	Morgen ist wieder so ein schöner Tag.
3	Das war ein ganz schöner Tag gestern.

d) Eine ganz junge Lehrerin gibt jetzt in unserer Klasse Mathematik.

1	Eine neue Mathematiklehrerin ist an unserer Schule.
2	Unsere neue Mathematiklehrerin ist ganz jung.
3	Eine ganz junge Lehrerin kommt morgen in unsere Klasse.

14. Schreib Sprüche.　　　　　　　　　　　　　　　　　B 3/4

Besser ein netter Kerl als ein blöder Junge.

Besser trockene Hände als nasse Füße.

Besser eine schlecht___ Zwei als eine _____ Fünf.

Besser gut___ Augen als _____ Zähne.

Besser ein sauber___ Hemd als eine _____ Jacke.

Besser warm___ Socken als _____ Füße.

Besser ein gut___ Aufsatz als eine _____ Note.

Besser eine groß___ Nase als _____ .

Besser _____ .

Lektion 3

B 3/4 **15. Ergänze die Tabelle.**

Maskulinum	Neutrum	Femininum	Plural
der nette Lehrer			
	ein altes Foto		liebe Freunde
		keine junge Lehrerin	
			meine lieben Freunde
dein netter Lehrer			
	sein altes Foto		
			ihre lieben Freunde
unser netter Lehrer			
		eure junge Lehrerin	

B 5/6 **16. Ergänze den Dialog.**

Mein altes ist kaputt.

Ich bin aber diesen Monat fast pleite.

Na ja. Letzte Woche war doch Anjas Geburtstag. Da habe ich ihr einen schönen Schal geschenkt.

Ja schon, aber weißt du, in diesem Monat habe ich schon so viele Sachen gekauft.

Eine neue Mappe, einen großen Zeichenblock und zwei karierte Hefte.

Du, Mama, ich brauche ein neues Lineal.

● So ein Mist! Jetzt ist das Lineal kaputt.

_____

▲ Warum?

● _____

▲ Dann kauf dir doch eins. Wir haben doch ausgemacht, dass du deine Schulsachen von deinem Taschengeld kaufst.

● _____

_____

▲ Was denn?

● _____

_____

▲ Aber du bekommst doch 40 Mark Taschengeld!

● _____

▲ Warum denn? Für was hast du denn das ganze Geld ausgegeben?

● _____

_____

▲ Ah, ich verstehe. Also gut, hier hast du zehn Mark.

17. Ergänze die Adjektive in der richtigen Form.   B 5/6

a) Ich wünsche mir ein _____ Fahrrad zum Geburtstag. (neu)

b) Hast du einen _____ Farbstift? – Nein, nur einen _____ .

(gelb – rot)

c) Du hast aber eine _____ Jacke an. (schick)

d) Warum nimmst du denn so einen _____ Koffer mit? (groß) – Ich habe keinen

_____ . (klein)

e) Hast du schon mein _____ Zimmer gesehen? (neu)

f) Isst du gern _____ Würstchen? (heiß)

g) Ich habe mein Zimmer neu eingerichtet. Jetzt habe ich einen _____ Schreibtisch,

ein _____ Sofa und eine _____ Lampe. (groß – blau – neu)

18. Alle tragen meine Sachen!   B 5/6

Schreib Sätze in dein Heft.

Beispiel:

Mutter – Rock, kurz

Meine Mutter trägt meinen kurzen Rock.

a) Schwester Claudia – Kleid, blau
b) Tante – Schuhe, weiß
c) Bruder Tom – Jacke, schwarz
d) Bruder Micha – Ohrringe, klein
e) Vater – Gürtel, neu
f) Schwester Lisa – Mantel, weit
g) Oma – Kette, lang

Lektion 3

B 5/6 **19. Gesucht wird …**

Dieser Mann hat in Kempten den Supermarkt in der Mangstraße überfallen und etwa 10 000 Mark erbeutet. Nach Zeugenaussagen sieht er so aus:

Schreib die Suchmeldung der Polizei für das Radio:
Heute hat ein junger Mann von etwa 25 Jahren …

B 7 **20. Suche 16 Tiere.**

H	U	H	N	F	L	O	H	K	L
P	F	E	R	D	E	K	U	H	I
N	S	C	H	W	E	I	N	E	K
O	C	H	S	E	S	R	D	F	A
L	H	T	E	L	E	F	A	N	T
G	A	N	S	O	L	A	U	S	Z
A	F	F	E	H	K	A	L	B	E

Schreib die übrig gebliebenen Buchstaben Zeile für Zeile hier unten auf:

__ __ __ __ __ __ __   __ __ __ __ !

B 7 **21. Ein Witz**

Zwei Hunde treffen sich auf der Straße. Da sagt der eine: „Wau, wau!"
Der andere antwortet: „Kikeriki!"
„Nanu", fragt der erste, „was soll das denn?"
„Du dummer Hund! Frag doch nicht so doof! Das ist doch eine Fremdsprache!"

Schreib den Witz.
Verwende andere Tiere.
Esel (Plural: Esel): Iaah
Huhn (Hühner): Gack, gack
Kuh (Kühe): Muh, muh

B 8 **22. Schreib den Brief richtig in dein Heft.**

Denk an die Großschreibung und die Satzzeichen (. , ! ?).

NEUSTADT, DEN …

LIEBEANDREAJETZTBINICHSCHONZWEIWOCHENBEIMEINERTANTE
MEINEKUSINEJULIAISTWIRKLICHNETTWIRMACHENVIELZUSAMMEN

Lektion 3

GESTERNSINDWIRMITIHREMNEUENTANDEM(DASISTEINFAHRRADFÜRZWEI
PERSONEN)ANEINENKLEINENSEEGEFAHRENINEINEMHÜBSCHENCAFE
HABENWIRPAUSEGEMACHTJULIAHATKAFFEEGETRUNKENUNDGRÜNEN
SALATGEGESSENFINDESTDUDASSKAFFEEZUGRÜNEMSALATPASSTABER
SONSTISTJULIAGANZINORDNUNGAMSEEHABENWIRIHREFREUNDE
GETROFFENNACHHERBINICHNOCHMITEINEMNETTENJUNGENSPAZIEREN
GEGANGENDUSIEHSTMEINEFERIENSINDWIRKLICHINTERESSANT
SCHADEDASSDUNICHTDABISTVIELEGRÜSSEDEINEMARIA

23. Schreib Sätze in dein Heft.   **B 8**

a) gehe – Ich – mit – Mädchen – heute – netten – aus – einem
b) passt – zu – Was – einer – Jacke – roten
c) gehört – Fahrrad – einem – Das – Schüler – neuen – tolle
d) kommt – kleinen – aus – Roberto – Stadt – einer – in Italien
e) du – Eier – gern – zu – Isst – Salat – grünem
f) Mir – Vanilleeis – schmeckt – heißer – mit – Schokolade
g) gehen – heute – Wir – abend – in – mit – Disco – die – Freunden – lieben

24. Ergänze die Tabelle.   **B 1–8**

Nominativ: Hier ist/sind …			
Maskulinum	**Neutrum**	**Femininum**	**Plural**
der klein____ Junge	das neu____ Fahrrad	die nett____ Frau	die alt____ Freund
ein _____ Junge	ein _____	eine _____	alt____

Akkusativ: Ich sehe …			
den _____ Jungen	das _____ Fahrrad	die _____ Frau	die _____ Freunde
einen _____	ein _____	eine _____	_____

Dativ: Ich fahre mit … zum See.			
dem _____	dem _____	der _____	den _____
einem _____	einem _____	einer _____	_____

45

Lektion 3

B 11 **25. Zeitungsanzeigen**

Was gehört zusammen? Schreib Anzeigen in dein Heft.
Beispiel: Junger Mann sucht neue Arbeit.

Mann, jung —————————— Familie, tierlieb
Dame, alt ——————————► Arbeit, neu
Herr, ruhig   Freundin, nett
Mädchen, nett   Schachpartner, gut
Hund, klein   Babysitter, lieb
Eltern, jung   Brieffreundin, französisch

A–B **26. Deutsche Redensarten**

Was bedeuten die Redensarten? Ordne zu.

1	„Ich komme einfach auf keinen grünen Zweig."
2	„Er zeigt mir die kalte Schulter."
3	„Ich habe etwas auf die hohe Kante gelegt."
4	„Er macht lange Finger."
5	„Sie lebt auf großem Fuß."
6	„Sie hängt alles an die große Glocke."
7	„Heute habe ich wirklich einen schwarzen Tag."

a	Sie kauft nur teure Sachen.
b	Sie erzählt alles ganz laut herum.
c	Mein Geld reicht mir nicht.
d	Ich bin für ihn gar nicht interessant.
e	Alles, was ich heute mache, geht nicht gut.
f	Ich habe etwas gespart.
g	Er nimmt etwas, was ihm nicht gehört.

1	2	3	4	5	6	7

A–B **27. Ergänze die Adjektive mit oder ohne Endung.**

a) Ich gehe jeden Tag mit dem _____ Hund meiner Tante spazieren. (klein)

b) Wie gefällt dir meine _____ Frisur? – Ehrlich gesagt, ich finde, deine Haare sind

   viel zu _____ . (neu – kurz)

c) Ich esse gern Frikadellen mit _____ Bohnen. (grün)

d) Du hast ja so _____ Gepäck! Wie hast du das denn allein getragen? – Ein sehr

   _____ Mann hat mir geholfen. (schwer – nett)

e) Der Abend war wirklich _____ . (schön)

f) Schmeckt dir _____ Salat? (grün)

g) Hast du den _____ Kerl gesehen? – Was hast du denn? Der war doch ganz

   _____ . (doof – nett)

h) Unsere _____ Nachbarn sind sehr _____ . (neu – freundlich)

46

28. Schreib den Brief in dein Heft. `A–B`

Ergänze die Endungen.

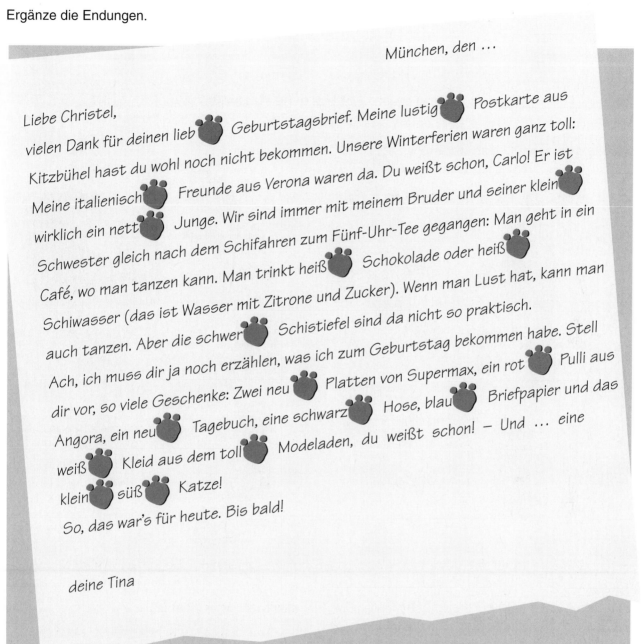

München, den …

Liebe Christel,

vielen Dank für deinen lieb Geburtstagsbrief. Meine lustig Postkarte aus Kitzbühel hast du wohl noch nicht bekommen. Unsere Winterferien waren ganz toll: Meine italienisch Freunde aus Verona waren da. Du weißt schon, Carlo! Er ist wirklich ein nett Junge. Wir sind immer mit meinem Bruder und seiner klein Schwester gleich nach dem Schifahren zum Fünf-Uhr-Tee gegangen: Man geht in ein Café, wo man tanzen kann. Man trinkt heiß Schokolade oder heiß Schiwasser (das ist Wasser mit Zitrone und Zucker). Wenn man Lust hat, kann man auch tanzen. Aber die schwer Schistiefel sind da nicht so praktisch.

Ach, ich muss dir ja noch erzählen, was ich zum Geburtstag bekommen habe. Stell dir vor, so viele Geschenke: Zwei neu Platten von Supermax, ein rot Pulli aus Angora, ein neu Tagebuch, eine schwarz Hose, blau Briefpapier und das weiß Kleid aus dem toll Modeladen, du weißt schon! – Und … eine klein süß Katze!

So, das war's für heute. Bis bald!

deine Tina

29. Mein Traumtyp `A–B`

Beschreibe deinen Traumtyp. Schreib so:

Das ist ein Junge/Mädchen mit … Haaren,
… Augen, einem … Mund, …
Er/Sie ist …
Er/Sie trägt …

Lektion 3

A–B **30. Ergänze die Fragen.**

a) _____ findest du meinen neuen Pulli?

b) _____ ziehst du lieber an, Hosen oder Röcke?

c) _____ hast du denn die Lederjacke? – Von meinem Bruder.

d) _____ Hemd nimmst du jetzt, das blaue oder das weiße?

A–B **31. Wer geht wohin? Und warum?**

① ② ③ ④

Schau dir die Leute auf den Bildern an. Wohin gehen sie? Was meinst du? Begründe deine Meinung.

Beispiel:
Ich meine, der Mann auf Bild 1 geht in die Oper. Er sieht so elegant aus.
Einen dunklen Anzug trägt man nur in der Oper.

Schreib in dein Heft:
Ich meine, das Mädchen auf Bild 2 geht …   Sie ist …   … trägt man nur …

A–B **32. Das Pummelchen**

Erzähle die Geschichte von Karin. Karin hat den Spitznamen „Pummelchen", weil sie ein bisschen dick ist.

> Karin – mag Jürgen – Modezeitschrift – Diät – 15 Kilo weg – Kleider zu groß – Jürgen: Ist Karin
> krank? – Karin isst wieder normal.

Schreib die Geschichte in dein Heft.

33. Was passt zusammen?

1	Du, schau mal! Klaus mit einem Nasenring!
2	Schau dir diese verrückten Typen an!
3	Wie findest du mein neues Kleid?
4	Warum starrst du mich so an?
5	Sag mal, wie findest du uns im Partnerlook?
6	Ich glaube, mich laust der Affe! Unser Mathelehrer mit Cowboystiefeln!

a	Ehrlich gesagt, ich finde es nicht so toll.
b	Das darf doch nicht wahr sein!
c	Was hast du denn? Diese Schuhe sind modern.
d	Du hast einen Käfer in den Haaren.
e	Diese verrückten Typen sind meine Eltern.
f	Das ist doch nichts Besonderes! Ihr seht immer wie Zwillinge aus.

1	2	3	4	5	6

34. Ergänze die Tabelle.

Nominativ	Akkusativ
ich	mich
du	
er	
es	
sie	

Nominativ	Akkusativ
wir	
ihr	
sie (Plural)	
Sie	

35. Ergänze: *mich – dich – ihn – es – sie – uns – euch – Sie.*

a) ▲ He, du!

● Meinst du _____ ?

▲ Klar meine ich _____ . Du stehst auf meinem Fuß!

b) ▲ Schau mal, da ist Anja!

● Geh bloß weiter! Ich kann _____ nicht mehr sehen.

c) ▲ Kommt ihr mit ins Kino?

● Du hast _____ schon mal gefragt. Wir können doch nicht.

d) ▲ Wie findest du Tommy eigentlich?

● Ach, ich finde _____ so süß!

e) ▲ Gefallen wir dir so?

● Ich finde _____ ganz nett mit diesen Hosen. Aber müsst ihr denn immer im Partnerlook herumlaufen?

f) ▲ Entschuldigen Sie bitte. Kann ich _____ mal was fragen? Wo kann ich denn mein Gepäck lassen?

● Da drüben ist der Gepäckraum. Da kannst du _____ abgeben.

g) ▲ Wo sind denn die Würstchen?

● Ich habe _____ nicht gegessen.

Lektion 3

A–C **36. Schreib einen Dialog in dein Heft.**

> Matze und seine Freundin Andrea – Andrea: Nasenring – Matze: böse – Nasenring: weg

Schreib so:
▲ *Hallo, Matze!*
● *Andrea! Wie siehst du denn aus?*
▲ *...*

A–C **37. Lesetext: „Die Geschichte vom grünen Fahrrad".**

Einmal wollte ein Mädchen sein Fahrrad anstreichen[1]. Es hat grüne Farbe dazu genommen. Grün hat dem Mädchen gut gefallen. Aber der große Bruder hat gesagt: „So ein grasgrünes Fahrrad habe ich noch nie gesehen. Du musst es rot anstreichen, dann wird es schön." Rot hat dem Mädchen auch gut gefallen. Also hat es rote Farbe geholt
5 und das Fahrrad rot gestrichen. Aber ein anderes Mädchen hat gesagt: „Rote Fahrräder haben doch alle. Warum streichst du es nicht blau an?" Das Mädchen hat sich das überlegt, und dann hat es sein Fahrrad blau gestrichen. Aber der Nachbarsjunge hat gesagt: „Blau? Das ist doch so dunkel. Gelb ist viel lustiger!" Und das Mädchen hat auch gleich Gelb viel lustiger gefunden und gelbe Farbe geholt. Aber eine Frau hat gesagt:
10 „Das ist ein scheußliches Gelb! Nimm himmelblaue Farbe, das finde ich schön." Und das Mädchen hat sein Fahrrad himmelblau gestrichen. Aber da ist der große Bruder wieder gekommen. Er hat gerufen: „Du wolltest es doch rot anstreichen! Himmelblau, das ist eine blöde Farbe. Rot musst du nehmen, Rot!" Da hat das Mädchen gelacht und wieder den grünen Farbtopf geholt und das Fahrrad grün angestrichen, grasgrün. Und es war
15 ihm ganz egal, was die anderen gesagt haben.

Ursula Wölfel

1 mit Farbe anmalen

a) Die Leute überreden das Mädchen, dass es eine andere Farbe nimmt. Welche Farben schlagen sie vor? Unterstreiche die Stellen im Text mit der passenden Farbe.
b) Wie reagiert das Mädchen auf die Vorschläge? Unterstreiche die Stellen im Text mit Bleistift.
c) Ergänze die Tabelle.

Wer ...	... schlägt welche Farbe vor?	Und warum?
der große Bruder		
das		

38. Ergänze in der richtigen Form: *können – müssen – dürfen – wollen – sollen – möchten.*   A–C

a) Was _____ du denn heute abend anziehen? Das blaue Kleid?

b) Mama hat gesagt, ihr _____ eure Sachen aufräumen.

c) Schau mal, so ein netter Junge! Den _____ ich so gern kennen lernen.

d) Claudia _____ nie einen Minirock anziehen. Ihre Mutter will das nicht.

e) Komm, wir _____ gehen. Der Film fängt in einer Viertelstunde an.

f) Entschuldigung, _____ Sie mir helfen?

39. Ergänze den Artikel/Possessivartikel im Dativ.   A–C

a) Du kannst doch mit _____ alten Jacke nicht ins Theater gehen.

b) Das neue Kleid gefällt _____ Freund bestimmt nicht.

c) Was hast du denn alles in _____ Koffer?

d) Wir haben jetzt eine Hängematte in _____ Zimmer.

e) Warst du schon in _____ neuen Film von Götz George?

f) Ich finde das Mädchen mit _____ roten Bluse nett.

g) Da kommt Tobias mit _____ neuen Freundin.

h) Habt ihr einen neuen Schüler in _____ Klasse?

40. Ergänze die Präpositionen *(in/auf/...)* **und Artikel.**   A–C

a) Wo ist denn mein Mantel? – Der hängt _____ Schrank.

b) Ich brauche einen neuen Schianzug. Morgen fahren wir _____ Berge.

c) Ich habe dein Stirnband _____ Tisch gelegt. – Es liegt aber nicht

_____ Tisch.

d) Mein neuer Schreibtisch steht _____ Fenster.

e) Was machst du denn da _____ Bett? – Ich suche meine Schuhe.

f) Warum nimmst du denn den warmen Mantel mit? – Wir fahren doch _____

Nordsee. Da kann es kalt werden.

A 1–3 **1. Was kannst du noch sagen?**

a) Der Film ist nur für Leute ab 18 Jahren.

1	Der Film ist nur für Jugendliche.
2	Der Film ist nur für Erwachsene.
3	Der Film ist nur für Bekannte.

b) Zu Omas 75. Geburtstag kommen viele Verwandte.

1	Zu Omas 75. Geburtstag kommen viele Nachbarn.
2	Zu Omas 75. Geburtstag kommen viele Freunde.
3	Zu Omas 75. Geburtstag kommen viele von ihren Kindern, Enkeln und Geschwistern.

c) Frankfurt: Jugendlicher rettet Kind aus dem Main!

1	Frankfurt: 16jähriger Junge rettet Kind aus dem Main!
2	Frankfurt: Zwei Schüler retten Kind aus dem Main!
3	Frankfurt: 16jähriges Mädchen rettet Kind aus dem Main!

d) Die Frau dort kennen wir gut.

1	Die Frau dort kennen wir seit einem Jahr.
2	Die Frau dort ist eine gute Bekannte.
3	Die gute Frau dort haben wir kennen gelernt.

A 1–3 **2. Was passt nicht?**

In jeder Zeile passt ein Wort nicht. Streich das Wort durch und schreib den Oberbegriff.

a) Tante – Onkel – Opa – F~~r~~eund: *Verwandte*

b) Nachbar – Bruder – Kollege – Klassenkamerad: _____

c) Junge – Mann – Schüler – Mädchen: _____

d) Mann – Frau – Kind – Lehrer: _____

e) Lehrerin – Großeltern – Oma – Onkel: _____

A 1–4 **3. Welche Antwort passt?**

a) Wie lange seid ihr schon in Berlin?

1	Vor einer Woche.
2	Seit einer Woche.
3	In einer Woche.

b) Wann warst du zum ersten Mal in England?

1	In einem Jahr.
2	Seit drei Jahren.
3	Vor zwei Jahren.

c) Fährst du im Sommer nach Griechenland?

1	Nein, erst im Oktober.
2	Ja, im Oktober.
3	Nein, seit dem Frühling.

d) Hast du deine Tante in letzter Zeit besucht?

1	Ja, nächsten Sonntag.
2	Ja, vor einem Monat.
3	Ja, in zwei Wochen.

e) Wohnst du schon lange in München?

1	Ich komme aus Köln.
2	Ja, seit vorgestern.
3	Nein, erst seit einem halben Jahr.

f) Wann kommen deine Eltern aus den Ferien zurück?

1	Aus Teneriffa.
2	Am letzten Sonntag.
3	In drei Tagen.

4. Ergänze: *in – seit – vor.* `A 1–4`

a) Wann geht ihr ins Kino? _____ zwei Stunden.

b) Meine Schwester war _____ einem Jahr bei unserer Tante in Amerika.

c) Ich bin _____ einer Woche in der neuen Schule.

d) Klaus ist _____ zwei Jahren nicht mehr Schi gefahren.

e) Ich hole dich _____ einer halben Stunde ab.

f) _____ einem Monat hatten wir ein Sportfest an unserer Schule.

g) Wo ist dein Vater? – Er ist _____ zwei Minuten weggegangen.

5. Antworte. `A 8–10`

Was machst du …

a) vor dem Frühstück? _____

b) vor der Schule? _____

c) in der Pause? _____

d) nach der Pause? _____

e) nach der Schule? _____

f) nach dem Mittagessen? _____

g) vor dem Abendessen? _____

h) nach dem Abendessen? _____

6. Martinas Samstag `A 8–10`

Martina hat am Wochenende immer viel vor. Deshalb schreibt sie alles genau in ein Notizbuch.

Hier ist Martinas Plan.

9.30 Frühstück
Tennis mit Sylvia
Hausaufgaben
13.00 Mittagessen
mit Robert ins Kino
Café
Sportschau im Fernsehen
18.45 Abendessen
Party bei Steffi !!!

Was macht Martina am Samstag? Schreib die Sätze in dein Heft. Verwende auch die Präpositionen *vor/nach.*

Schreib so:
Um halb zehn frühstückt Martina. Nach dem Frühstück …

Lektion 4

7. Schreib sechs kleine Dialoge in dein Heft.

Deine Oma kommt bald, oder?   Wann gehen wir denn auf den Sportplatz?

Kommst du mit ins Kino?

Was haben wir denn nach der Pause?   Wir können ja Monopoly spielen.

Ja, in zwei Tagen.

Mathe.   Gleich nach der Schule.

Was machen wir denn vor dem Abendessen?   Nein, ich habe den Film schon vor zwei Wochen gesehen.

Wie lange wartest du schon hier?   Seit einer Viertelstunde.

B 1 **8. Rätsel**

Ergänze: *oben – vorn – hinten – drinnen – draußen.*

a) Was machst du denn bei dem schlechten Wetter ⬜⬜⬜⬜⬜⬜⬜ im Garten?

b) Klaus sitzt am liebsten ganz ⬜⬜⬜⬜ an der Tafel.

c) Kinder müssen im Auto immer ⬜⬜⬜⬜⬜⬜ sitzen.

d) Verena wohnt ganz ⬜⬜⬜⬜ im siebten Stock.

e) Ich bleibe heute lieber ⬜⬜⬜⬜⬜⬜ Die Sonne ist mir zu stark.

⬇

Der Keller ist im Haus immer _____ .

B 2 **9. Wo kaufst du die Sachen?**

In jeder Gruppe passt eine Sache nicht. Schreib den Buchstaben auf (Seite 81). Dann findest du ein Lösungswort.

Was passt nicht?   *Wo kaufst du die Sachen?*

A	Wurst
M	Fleisch
K	~~Spinat~~
L	Schnitzel

In der Metzgerei. _____

E	Zeitung
A	Radiergummi
N	Comic-Heft
W	Postkarte

Am _____

B	Bleistift
R	Zeichenblock
O	Heft
U	Schultafel

_____

F	Tesafilm
D	Hustensaft
E	Salbe
S	Kopfschmerztabletten

_____

G	Zahnbürste
Z	Kamm
A	Toilettenpapier
H	Fön

_____

I	Brezel
A	Butter
K	Brot
U	Kuchen

_____

P	Butter
M	Käse
U	Hustensaft
E	Orangensaft

_____

H	Kamera
J	Film
O	Fototasche
S	Briefpapier

_____

Lösungswort: | K | | | | | | | | |

10. Ergänze. B 2

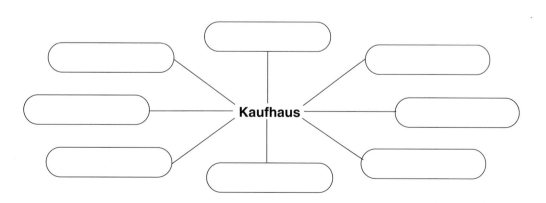

Lektion 4

B 3 **11. Was passt zusammen?**

1	Gibt es hier eine Drogerie?
2	Wo ist hier eine Telefonzelle?
3	Ist die Bank auf der rechten Seite?
4	Ich gehe also bis zur nächsten Kreuzung.
5	Ist die nächste Post weit weg?
6	Wissen Sie, wo hier eine Bäckerei ist?

a	Nein, auf der linken.
b	Ja, und dann rechts.
c	Ja, hier ganz in der Nähe.
d	Nein, sie ist ganz in der Nähe.
e	Tut mir leid, ich bin nicht von hier.
f	Gleich da vorn.

1	2	3	4	5	6

B 3 **12. Wegbeschreibung**

Paul, Petra und Julia suchen die Post.
Paul fragt eine Frau.
Petra fragt einen Mann.
Julia fragt einen Polizisten.
Nur eine Person beschreibt den Weg richtig. Welche?

a) Frau: „Also, du gehst geradeaus bis zur zweiten Kreuzung, dann rechts. Hier gehst du wieder geradeaus, über zwei Kreuzungen. Dann siehst du schon die Post auf der rechten Seite."

b) Mann: „Du gehst geradeaus bis zur nächsten Kreuzung. Dann gehst du rechts und an der nächsten Straße gleich wieder links. An der nächsten Kreuzung gehst du wieder rechts. Auf der linken Seite ist die Post."

c) Polizist: „Du gehst geradeaus bis zur zweiten Kreuzung, dann links. Auf der linken Seite siehst du schon die Post."

13. Ergänze.   `B 3/4`

Sieh auf dem Plan der Aufgabe 12 nach.

a) Beschreibe Alex den Weg zur Bäckerei.

Du gehst _____ bis _____ . Dann gehst

du _____ und _____ . Die Bäckerei ist

_____ .

b) Beschreibe Jörg den Weg zur Telefonzelle.

Also, du gehst _____ bis _____ .

Hier gehst du _____ und dann _____ .

Auf _____ siehst du schon die Telefonzelle.

c) Beschreibe Verena den Weg zur Schule.

_____

_____

_____

_____

14. Schreib die Wörter in die Tabelle.   `B 6`

Wie komme ich …?

zum	zum	zur
Maskulinum	*Neutrum*	*Femininum*

Brandenburger Tor – Siegessäule – Kirche – Rathaus – Zoo – Theater – Marienplatz – Kurfürstendamm
– Tiergarten – Lutherstraße – Sportplatz – Schule – Schwimmbad – Museumsinsel – Zentrum

Schreib Fragen in dein Heft.
Wie komme ich zum Brandenburger Tor?

Lektion 4

15. Ergänze: *zum – zur – nach*.

a) Bitte, wie komme ich _____ Post?

b) Ich möchte _____ Potsdam _____ Schloss Sanssouci fahren.

c) Entschuldigung, führt diese Straße _____ Tiergarten?

d) Kannst du dem Mädchen den Weg _____ Museumsinsel beschreiben?

e) Entschuldigen Sie bitte. Können Sie mir sagen, wie ich _____ Alexanderplatz

komme?

f) Fährt der Bus _____ Kreuzberg?

g) Ist es noch weit _____ Bäckerei?

h) Kennst du den Weg _____ Jugendgästehaus?

16. Ergänze den Dialog.

Und wie heißt die Haltestelle?   Wie komme ich zum Olympiastadion?

Was? So lang?   Ach, das ist ja gar nicht so schwer. Vielen Dank.   Entschuldigen Sie bitte.   Ist es denn so weit?

Und wo muss ich aussteigen?

Wie lange brauche ich denn?   Ich bin noch nie mit der U-Bahn gefahren.   Wo? Ach ja.

▲ _____

● Ja bitte?

▲ _____

● Zum Olympiastadion? Also, du gehst hier immer geradeaus und dann … Warte mal! Am besten, du fragst dann noch mal.

▲ _____

● Ja, ziemlich weit.

▲ _____

● Zu Fuß? Na ja, eine halbe Stunde bestimmt.

▲ _____

● Warum fährst du denn nicht mit der U-Bahn?

▲ _____

● Pass auf, das ist ganz leicht. Siehst du den U-Bahnhof da vorn?

▲ _____

● Also, da nimmst du die U1 Richtung Ruhleben.

▲ _____

● An der vierten, nein halt, an der fünften Haltestelle.

▲ _____

● Olympiastadion, ganz einfach.

▲ _____

17. Such elf Verkehrsmittel.

Schreib die Wörter in die Tabelle.

B 7

B	A	M	O	T	O	R	R	A	D	M
W	U	F	A	H	R	R	A	D	J	E
R	T	Ä	F	L	U	G	Z	E	U	G
W	O	H	N	M	O	B	I	L	B	V
X	L	R	A	N	Z	U	G	B	A	M
O	R	E	W	P	E	S	B	A	H	N
I	N	T	E	R	C	I	T	Y	N	A

der	
das	
die	

18. Ergänze die Vorsilben _ein… – aus… – um…_

B 7

a) Wir sind gleich da. Wir müssen hier _____steigen.

b) Nimm die U1 und steig dann an der Deutschen Oper in die U7 _____ .

c) Ach, der Bus ist schon da. Da können wir ja gleich _____steigen.

d) Ich muss von der S-Bahn in den Bus _____steigen.

e) Bitte _____steigen! Der Zug fährt gleich ab.

f) An welcher Haltestelle muss ich _____steigen?

19. Bilde Sätze mit _gehen – fahren – fliegen._

B 7

a) U-Bahn – Schlesisches Tor

Ich fahre mit der U-Bahn zum Schlesischen Tor. _____

b) S-Bahn – Wannsee

_____

c) Flugzeug – Amerika

_____

Lektion 4

d) Fahrrad – Tennisplatz

_____

e) zu Fuß – Deutsche Oper

_____

f) Auto – Potsdam

_____

g) Bus – Schule

_____

h) U-Bahn – Botanischer Garten

_____

B 6–9 **20. Stell Fragen.**

a) _____   An der Haltestelle Bismarckstraße.

b) _____   Mit der U7.

c) _____   Mit der S-Bahn.

d) _____   Also, Sie gehen hier immer geradeaus.

e) _____   Tut mir Leid, ich bin nicht von hier.

f) _____   Nimm die U8.

g) _____   Von der Oper zum Tiergarten? Warte mal.

B 6–9 **21. Schreib kleine Dialoge.**

a)

BISMARCKSTRASSE

▲ _Bitte, wie komme ich_

von _____

zum Zoo? _____

● _Am besten mit der U1._

b) BERLIN → Potsdam

▲ _____

_____

● _____

_____

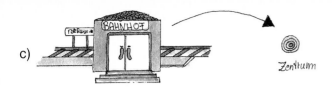

c)

Zentrum

▲ _____
_____
_____

● _____
_____
_____

22. Gib die Frage weiter.

B 10/11

Schreib die Frage und die Antwort.

Ⓐ   Ⓑ   Ⓒ   Ⓐ   Ⓑ   Ⓒ

a) A: Frag bitte Robert, wo wir die anderen treffen.

   B: *Robert, wo* _____ ?

   C: *An der Kaiser-Wilhelm-Gedächtniskirche.* _____

b) A: Frag mal Sven, wann das Theater anfängt.

   B: *Sven,* _____ ?

   C: _____

c) A: Frag bitte Pia, wer heute abend zur Party kommt.

   B: *Pia,* _____ ?

   C: _____

d) A: Frag mal Karin, ob heute Sport ist.

   B: _____ ?

   C: _____

e) A: Frag mal Vera, ob der neue Film schon läuft.

   B: _____ ?

   C: _____

Lektion 4

f) A: Frag bitte Klaus, ob es hier eine Post gibt.

B: _____ ?

C: _____

g) A: Frag mal Henry, ob er heute Abend kommt.

B: *Henry, kommst* _____ ?

C: _____

h) A: Frag mal Ute, ob ihr Gulasch schmeckt.

B: _____ ?

C: _____

i) A: Frag bitte Julia, wie ihr Freund heißt.

B: _____ ?

C: _____

j) A: Frag mal Jörg, welche Musik ihm gefällt.

B: _____ ?

C: _____

B 10/11 **23. Wiederhole die Frage.**

a) Was machen wir heute? – Wie bitte? –

Ich habe dich gefragt, _____

b) Wohin geht Martin heute Abend? – Wie bitte? –

Weißt du, _____

c) Wann hat Bettina Geburtstag? – Wie bitte? –

_____

d) Fährt Klaus im Sommer nach Berlin? – Wie bitte? –

_____

e) Müssen wir den Aufsatz bis morgen machen? – Wie bitte? –

_____

f) Gibt es hier eine Disco? – Wie bitte? –

_____

24. Ergänze die Tabelle. C 2-5

Präsens	Präteritum	Präsens	Präteritum
ich besuche	ich besuchte	ich esse	
wir fahren		er sieht	
	er ging		wir gaben
ihr könnt		ihr wollt	
du bringst		du kennst	
	Sie standen		Sie waren
sie muss		er bleibt	
	er schlief		sie lernten
	sie riefen	ich tanze	
sie kauft		du sollst	

25. Ergänze die Verben im Präteritum. C 2-5

müssen – wollen – können – sein – haben – fahren – ankommen – schlafen – essen – reden
– besuchen – ansehen – machen

a) Wir _____ vier Stunden mit dem Zug und _____ gegen Mittag in

Berlin _____ .

b) Im Jugendgästehaus _____ ich mein Bett selber machen.

c) Im Bett über mir _____ Florian. Das war ziemlich doof, denn er

_____ ganz laut im Schlaf.

d) Gleich am ersten Tag _____ wir einen Stadtbummel.

e) Wir _____ immer den ganzen Tag unterwegs und _____ in der

Stadt zu Mittag.

f) Wir _____ Museen und Theater, _____ uns Ausstellungen

_____ und _____ leider nur an einem Nachmittag tun, was wir _____

_____ .

g) Aber wir _____ trotzdem viel Spaß.

Lektion 4

26. Eine Geschichte

Setz die <u>unterstrichenen</u> Verben ins Präteritum.

Seltsamer Spazierritt

Ein Mann <u>reitet</u> auf einem Esel nach Hause und <u>lässt</u> seinen Jungen zu Fuß nebenher laufen. Da <u>kommt</u> ein Wanderer und <u>sagt</u>: „Das ist nicht recht, Vater, dass Sie reiten und Ihren Sohn laufen lassen. Sie haben stärkere Beine."

Da <u>steigt</u> der Vater vom Esel und <u>lässt</u> den Sohn reiten. Da <u>kommt</u> wieder ein Wandersmann und <u>sagt</u>: „Das ist nicht recht, Junge, dass du reitest und lässt deinen Vater zu Fuß gehen. Du hast jüngere Beine."

Da <u>setzen</u> sich beide auf den Esel und <u>reiten</u> eine Strecke. Da <u>kommt</u> ein dritter Wandersmann und <u>sagt</u>: „Was ist denn das? Zwei Kerle auf einem schwachen Tier. Da sollte man gleich den Stock nehmen und euch beide herunterjagen."

Da <u>steigen</u> beide ab und <u>gehen</u> zu dritt zu Fuß, rechts und links der Vater und der Sohn und in der Mitte der Esel. Da <u>kommt</u> ein vierter Wandersmann und <u>sagt</u>: „Ihr seid drei komische Gesellen. Ist es nicht genug, wenn zwei zu Fuß gehen? Geht es nicht leichter, wenn einer von euch reitet?"

Da <u>bindet</u> der Vater dem Esel die vorderen Beine zusammen, und der Sohn <u>bindet</u> ihm die hinteren Beine zusammen, sie <u>ziehen</u> einen starken Ast durch und <u>tragen</u> den Esel auf der Schulter heim.

So weit kann's kommen, wenn man es allen Leuten recht machen will.

(nach Johann Peter Hebel)

reiten – ich ritt / steigen – ich stieg / binden – ich band / ziehen – ich zog / tragen – ich trug

---

27. Lesetext: „Pellkartoffeln und Popcorn".

*Evelyn Sanders beschreibt in ihrem Buch „Pellkartoffeln und Popcorn"
das Leben einer Familie in Berlin zur Zeit des Zweiten Weltkriegs
und in der Nachkriegszeit.*

Unsere Geschichte spielt kurz nach dem Krieg.

„Auf der Argentinischen Allee kommen sie!" Lothar hatte schon am frühen Nachmittag in der Nähe des U-Bahnhofs Posten bezogen, und nun kam er zurückgehastet, um die ersten Neuigkeiten loszuwerden.
„Die sehen überhaupt nicht wie Soldaten aus! Neger sind auch dabei, und ganz ulkige[1]
5 Autos haben die, und einer hat mir etwas zugeworfen, was is'n das? Sieht so Schuing Gamm aus?" Er zog etwas Längliches aus der Hosentasche und ließ sich von Mami bestätigen, dass es sich hierbei tatsächlich um Kaugummi handelte.
(...) Mit dem Einzug der Amerikaner änderte sich vieles. Wir bekamen wieder Strom[2].

Die Amis brauchten schließlich auch welchen. Wir bekamen wieder Gas. Die Amis
10 brauchten ja auch welches. Wir bekamen wieder sauberes Wasser. (...) Die U-Bahn fuhr
wieder, manchmal tauchte sogar schon ein Omnibus auf.
(...) Innerhalb kürzester Zeit war unser ehemaliges Einkaufszentrum nicht mehr
wiederzuerkennen. Da gab es eine große Wäscherei, eine Snackbar³, eine Bank und vor
allem einen PX-Laden, in dem die Amerikaner von Zahnpasta bis zu Ringelsocken alles
kaufen konnten, was wir zum Teil nicht einmal dem Namen nach kannten. Wenn wir auf
15 dem U-Bahnhof standen, konnten wir ungehindert in dieses Schlaraffenland⁴ blicken,
und jedesmal entdeckten wir etwas Neues und Ungewohntes.
(...) Wir waren alle einem bedauerlichen Irrtum verfallen⁵, als wir beim Einzug der
Amerikaner an die große Wende geglaubt hatten. Über die politischen Hintergründe von
Berlins Vierteilung hatten wir uns damals noch nicht den Kopf zerbrochen⁶. Wir hatten
20 lediglich erwartet, dass jedes Land nunmehr allein für ‚seinen' Sektor zuständig sein
und ein edler Wettstreit⁷ ausbrechen würde, wer denn nun am besten seine Schutz-
befohlenen⁸ versorgen könnte. So ungefähr nach dem Motto: „Ätsch, in meinem Sektor
kriegt jetzt jeder pro Woche ein Pfund⁹ Butter!" Und da die USA bekanntlich ein sehr
reiches Land waren, sahen wir auch bei uns schon Milch und Honig fließen.
25 Um so größer war die Enttäuschung, als es einheitlich Lebensmittelkarten für ganz
Berlin gab. Und die waren auch noch in fünf Kategorien eingeteilt. Da gab es Karten für
Schwerstarbeiter, für Angestellte, für Kinder unter fünfzehn und für Normal-
verbraucher¹⁰. Alles, was nicht arbeitete, war Normalverbraucher, und die zugebilligten
Nahrungsmittel wurden in Kalorien errechnet. Kaum jemand wusste, was das war, aber
30 auf jeden Fall war es zu wenig.

1 komisch, lustig
2 Elektrizität
3 Imbissstube
4 ein Land, wo es alles zu essen und zu trinken gibt; man kann trinken und essen, so viel man will
5 Wir haben geglaubt, dass alles anders wird.
6 Wir haben nicht nachgedacht.
7 Wettkampf
8 die Leute, für die man sorgen soll
9 halbes Kilo
10 alle normalen Leute

a) Der Text ist nicht ganz einfach. Unterstreiche im Text mit Bleistift alles, was du verstehst.
b) Unterstreiche im Text rot, was sich nach dem Einzug der Amerikaner in Berlin geändert hat.
c) Wie war es vorher? Schreib auf.

Es gab keinen

d) Warum glaubte die Familie, dass es ihr im amerikanischen Sektor besser geht als den Menschen in den anderen Sektoren?
e) Was meinst du? Was konnten die „Normalverbraucher" wohl mit ihren Lebensmittelkarten zu essen kaufen?

Lektion 4

A–C **28. Ergänze die Präpositionen *(in/auf/...)* und Artikel.**

a) Gehen wir nachher noch einmal _____ Jugendgästehaus zurück?

b) Wir waren am Dienstag _____ Oper.

c) Am Donnerstagnachmittag fährt die Klasse _____ Wannsee.

d) Das Pergamonmuseum ist _____ Museumsinsel.

e) Vielleicht gehen wir auch _____ Ägyptische Museum.

f) Viele Berliner verbringen ihr Wochenende _____ Müggelsee.

g) Kann man _____ Kiosk Briefmarken kaufen?

h) Ich habe meine Schuhe _____ Bett gestellt, und jetzt sind sie nicht mehr da.

A–C **29. Schreib das Gegenteil.**

a) In der Jugendherberge hat uns ein sehr freundlicher Herr begrüßt.
   In der Jugendherberge hat uns ein sehr unfreundlicher Herr begrüßt.

b) Bettina schreibt auf ganz altem Briefpapier.

   _____

c) Man kann in einem kleinen Garten sitzen.

   _____

d) Frau Rösner ist eine alte Lehrerin.

   _____

e) Das war aber ein langweiliges Fußballspiel.

   _____

f) Die Klasse kommt aus einer großen Stadt.

   _____

g) Julia macht einen kurzen Einkaufsbummel.

   _____

A–C **30. Ergänze die Personalpronomen im Dativ *(mir/dir/ihm/...)* oder Akkusativ *(mich/dich/ihn/...)*.**

a) Leihst du _____ deinen Kamm?

b) Du, Robert, kann ich _____ mal was fragen?

c) Oh, wir kommen viel zu spät. Frau Rösner schimpft _____ bestimmt aus.

d) Hallo, ihr zwei, wir wollen _____ gern zu unserer Party einladen.

e) Guten Tag, Frau Rösner. Und, hat _____ die Klassenfahrt nach Berlin gefallen?

f) He, Florian, gehört _____ der Stadtplan?

g) Matthias isst jeden Morgen vier Brötchen. Das Frühstück im Gästehaus schmeckt _____

  wirklich gut.

h) Puh, ist der Koffer schwer! Kannst du _____ mal helfen? Ich kann _____ gar

  nicht allein tragen.

i) Matthias, du gehst doch in den Zoo. Nimmst du _____ mit?

j) Schau mal, da ist Anna. – Ach ja, ich habe _____ gar nicht gesehen.

k) Was bringst du deiner Freundin aus Berlin mit? – Ich habe _____ Ohrringe gekauft.

31. Tante Gabys Klassenfahrt   A–C

Das erzählt Tante Gaby von ihrer Klassenfahrt nach Berlin:

„Ich erinnere mich noch genau an unsere Klassenfahrt damals nach Berlin. Ich war 16 Jahre alt. In
unserer Klasse waren wir 18 Mädchen, keine Jungen, denn ich habe natürlich eine Mädchenschule
besucht. Herr Hertl, der Deutschlehrer, und Frau Zimmermann, die Geographielehrerin, sind mitge-
fahren. Wir waren so aufgeregt. Wir dachten, das wird ganz toll, wir sind nämlich zum ersten Mal in eine
Großstadt gefahren. Aber dann war alles doch ganz anders.
Die Fahrt nach Berlin hat sehr lange gedauert, fast acht Stunden, denn wir mussten an der DDR-Grenze
ziemlich lange warten. Damals war Deutschland ja noch geteilt. Und man musste durch die DDR fahren,
wenn man nach Berlin kommen wollte. Wir haben natürlich in Westberlin gewohnt, in einem Gästehaus
in Charlottenburg.
Gleich am ersten Tag sind wir ins Zentrum gefahren. Auf dem Ku'damm waren so tolle Geschäfte! Wir
wollten einen Einkaufsbummel machen. Aber unser Lehrer war dagegen. Wir hatten nämlich keine Zeit.
Wir mussten die Gedächtniskirche besichtigen.
Am nächsten Tag sind wir ins Berlin-Museum gegangen. Das war ganz interessant. Auch das Ägyptische
Museum hat uns noch ganz gut gefallen. Aber beim vierten, fünften, sechsten Museum hatten wir wirk-
lich keine Lust mehr. Wir waren müde und sauer. Immer nur Museen und immer nur Kultur. Ich glaube,
wir haben fast alle Museen in Berlin gesehen.
Einen Tag waren wir in Ostberlin. Wir haben ein Tagesvisum bekommen. Wir sind ein bisschen
spazierengegangen. Die Atmosphäre war anders als in Westberlin. Und natürlich haben wir auf der
Museumsinsel ein paar Museen besucht.
Und am Abend? Jeden Abend mussten wir im Gästehaus bleiben und schon um zehn Uhr ins Bett
gehen. Nur einen Abend sind wir ausgegangen, in die Oper.
Im Gästehaus waren noch andere Schulklassen untergebracht. Mit einer Jungenklasse aus Reckling-
hausen haben wir uns etwas angefreundet. Die Jungen und ihr Lehrer haben unsere Klasse an einem
Abend in die Disco eingeladen. Aber unser Lehrer war dagegen. Wieder ein langweiliger Abend zu
Hause!
Unsere letzte Hoffnung war der freie Nachmittag. Aber nichts da! Wir konnten bitten und betteln, soviel
wir wollten. Wir durften nicht allein weg. Unser Lehrer war dagegen.
Als die Woche zu Ende war, waren wir froh, dass wir nach Hause fahren durften."

Lektion 4

Nach ihrer Rückkehr musste die Klasse einen Aufsatz über ihre Fahrt schreiben.

Das ist Tante Gabys Aufsatz:

Letzte Woche machten wir eine Klassenfahrt nach Berlin. Nach einer ziemlich langen, anstrengenden Fahrt durch die DDR erreichten wir endlich unser Ziel. Das Gästehaus, in dem wir untergebracht waren, war sehr schön. Zum Glück durften wir uns an den Abenden immer dort aufhalten.

Gleich am ersten Tag machten wir eine Stadtbesichtigung. Die Geschäfte auf dem Kurfürstendamm interessierten uns nicht besonders. Aber die Kaiser-Wilhelm-Gedächtniskirche war wirklich beeindruckend.

Zum Glück konnten wir viel vom kulturellen Leben dieser interessanten Stadt kennen lernen. All die Museen, Zeugnisse vergangener Zeiten! Besonders intensiv erlebte ich das Ägyptische Museum. Einmal den Kopf der Nofretete im Original sehen, das war ein Erlebnis.

Höhepunkt unseres Tagesausflugs nach Ostberlin war der Besuch des Pergamonmuseums auf der Museumsinsel.

Auch die Aufführung der „Zauberflöte" in der Deutschen Oper hinterließ einen tiefen Eindruck auf mich. So ein Abend gibt einem jungen Menschen doch viel mehr als langweilige Besuche in einer Diskothek.

So wurde diese Woche in Berlin ein Erlebnis, das für mein weiteres Leben sicherlich große Bedeutung haben wird.

a) Tante Gaby hat damals in ihrem Aufsatz nicht ganz die Wahrheit geschrieben. Vergleiche ihren Aufsatz mit dem, was sie erzählt hat.
   Unterstreiche blau, was im Aufsatz richtig dargestellt wird.
   Unterstreiche rot, was im Aufsatz anders dargestellt wird.
b) Mach aus Tante Gabys Erzählung einen ehrlichen Aufsatz. Verwende das Präteritum.
   Schreib den neuen Aufsatz in dein Heft.

1. Was machen die Personen?

Sieh die Bilder an und schreib Sätze mit den Verben unten in dein Heft.

Maria

Claudia und Udo

Klaus

Herr May

das Baby

sich freuen − sich setzen − sich beeilen − sich treffen − sich ärgern

2. Welche Antwort passt?

a) Warum regst du dich denn so auf?

1	Ich rege mich auf.
2	Ach, lass mich doch in Ruhe!
3	Stimmt!

b) Kannst du dich nicht ein wenig beeilen?

1	Nein, schneller geht es nicht.
2	Das ist mir egal.
3	So ein Quatsch!

c) Freut ihr euch gar nicht?

1	So kann's gehen!
2	Lass mich doch!
3	Ehrlich gesagt, nicht so sehr.

d) Ärgert sich dein Bruder jetzt?

1	Und wie!
2	Aha!
3	Ach so!

e) Wann treffen wir uns morgen?

1	Ich glaube, im Café.
2	Ich glaube schon.
3	Ich weiß nicht.

Lektion 5

A 2/3 **3. Ergänze:** *mich – dich – sich – uns – euch.*

a) Komm schnell, wir müssen _____ beeilen.

b) Kannst du noch einen Moment warten? Ich muss _____ noch umziehen.

c) Wo trefft ihr _____ denn heute Nachmittag?

d) Warum ärgerst du _____ denn so?

e) Jochen hat _____ gerade so aufgeregt. Er kann _____ gar nicht mehr

   beruhigen.

f) Setzt _____ doch!

g) Morgen fangen die Ferien an. Alle freuen _____ schon.

h) Endlich treffen wir _____ wieder einmal. Ich freue _____ ja so!

A 2/3 **4. Setz die Verben in der richtigen Form ein.**

> *sich beeilen – sich aufregen – sich beruhigen – sich setzen – sich freuen – sich treffen – sich duschen – sich ärgern – sich umziehen*

a) Ich _____ _____ , dass meine Freundin morgen kommt.

b) Claudia _____ _____ , weil sie sonst zu spät in die Schule kommt.

c) Du musst doch nicht die ganze Zeit stehen. _____ _____ doch!

d) Warum _____ _____ denn dein Vater so _____ ? – Ach, mein

   Bruder ist schon wieder zu spät nach Hause gekommen.

e) Was machst du denn so lang im Badezimmer? Musst du _____ denn immer so lang

   _____ ?

f) Mit Jeans können wir wohl nicht in die Oper gehen. Komm, wir _____

   _____ schnell _____ .

g) Oh je, meine Eltern sind vielleicht sauer. – Ach, lass nur. Die _____

   _____ schon wieder.

h) Du _____ _____ wohl, weil Peter dich nicht eingeladen hat.

i) Wo _____ ihr _____ denn heute? Vor dem Kino?

A 4/5 **5. Pro und contra Fernsehen?**

a) Schreib je fünf Argumente für und gegen Fernsehen auf.

pro
Man kann viel lernen. ...

contra
Man bekommt schlechte Augen. ...

b) Ein Fernsehfan und ein Fernsehgegner diskutieren. Schreib den Dialog in dein Heft. Schreib so:
   - ● *Ich finde, man kann beim Fernsehen so viel lernen.*
   - ▲ *Ja schon, aber ...*
   - ● *...*

6. Lesetext: „Das Fernsehmärchen". $\boxed{\text{A 4/5}}$

(...) Die ganze Familie und die Gäste sitzen schweigend[1] in den breiten Polstersesseln und starren in eine Richtung – zum Fernsehschirm[2].

Auf dem Fernsehschirm sitzt eine Familie in breiten Polstersesseln und starrt in eine Richtung – zu einem Fernsehschirm, auf dem eine Familie in breiten Polstersesseln sitzt.

5 Wahrscheinlich starren auch diese Leute auf einen Schirm. Aber das kann man nicht mehr so genau erkennen.

Die Mutter flüchtet[3] als erste, in die Küche. „Entschuldigt", flüstert[4] sie laut, weil der Apparat so dröhnt[5], „ich muss noch Geschirr abwaschen!" Tante Nelly wirft ihr einen vorwurfsvollen[6] Blick zu. Sie hasst es[7], wenn sie beim Fernsehen gestört wird.

10 Dann schleicht sich Onkel Theo – wie ein Indianer so leise – aus dem Raum und wirft dabei beinahe die große, dicke, bunte Blumenvase um. Einer nach dem andern flüchtet. Der Vater staunt nicht wenig, als er in die unaufgeräumte Küche eintritt! Da stehen alle fröhlich herum, helfen der Mutter beim Abwaschen und unterhalten sich.

Nur Tante Nelly sitzt ganz allein vor dem Bildschirm. „Aber – die schläft", berichtet der 15 Vater.

Nach einer Weile erscheint schließlich auch die Tante. Da ist das Geschirr längst schon abgewaschen und eingeräumt. Doch niemand will die Küche verlassen. Im leeren Wohnzimmer dröhnt der Fernsehapparat.

Ernst A. Ekker

1 ohne zu reden	2 die Scheibe vorn am Fernseher	3 läuft weg 5 ist sehr laut
		4 spricht leise 6 böse
		7 mag nicht

Trag in die Graphik ein, was die Personen machen.

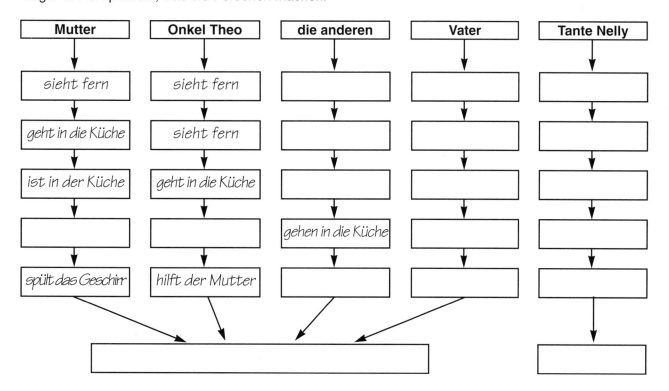

Mutter	Onkel Theo	die anderen	Vater	Tante Nelly
sieht fern	*sieht fern*			
geht in die Küche	*sieht fern*			
ist in der Küche	*geht in die Küche*			
		gehen in die Küche		
spült das Geschirr	*hilft der Mutter*			

Lektion 5

B 5/6 **7. Was gehört zusammen?**

Schreib die Buchstaben in die Kästchen (☐).

(A) Oh, toll! Ich habe eine Eins.

(B) Wo bleibt denn Karin so lang?

(C) So ein Mist! Jetzt kann ich keine Musik hören.

(E) Ich habe schon fast alle Romane von Max Frisch gelesen.

(D) Ach, war das schön im Sommer bei Tante Berta!

☐ Christa ärgert sich über ihren Cassettenrecorder.

☐ Mario freut sich über eine gute Note.

☐ Anja interessiert sich für Literatur.

☐ Holger wartet auf seine Freundin.

☐ Bettina erinnert sich an ihre Ferien.

B 5/6 **8. Ergänze.**

> das Geschenk – den Bus – Politik – den ersten Schultag – Sport – meine Eltern – die letzten Ferien – den Zug – mein neues Zimmer – unsere letzte Klassenfahrt – Kultur – die gute Note – meinen Freund – das neue Fahrrad – meinen sechsten Geburtstag – Fotografie

Ich interessiere mich

(_____) **für** (Kultur)

(_____) (_____)

Ich warte

(_____) **auf** (_____)

(_____) (_____)

Ich freue mich

(_____) **über** (_____)

(_____) (_____)

Ich erinnere mich

(_____) **an** (_____)

(_____) (_____)

Schreib Sätze in dein Heft.

72

9. Findest du fünf Sätze?

B 5/6

Schreib die Sätze in dein Heft.

Geschenk	gern	dich	Lehrer	reden	Politik	Ich	für	erinnert	Freust	Wartet	du
sehr	interessiere	mich	Meine	über	sich	über	Schüler	Bus	Wir
Oma	an	Schulzeit	gut	auf	ihre	den	die	das	ihr

10. Ergänze: *über – auf – an – für* und die Artikel.

B 5/6

a) Martin wartet _____ _____ Zug.

b) Meine Eltern ärgern sich oft _____ _____ schlechte Fernsehprogramm.

c) Ich erinnere mich gern _____ _____ Ferien am Bodensee.

d) Claudia und Kerstin sprechen oft _____ _____ Schule.

e) Du interessierst dich wohl sehr _____ _____ Mädchen da drüben.

f) Freut ihr euch denn _____ _____ Geschenke?

g) Viele Schüler reden am liebsten _____ _____ Lehrer.

11. Tochter und Vater

B 5/6

Schau die Bilder an. Schreib die Geschichte.
Erfinde auch eine Überschrift.

sich langweilen – im Sessel sitzen – fernsehen –
ein Bild malen – mit Bällen jonglieren – Geige
spielen – die Geige kaputtmachen (die Geige auf
den Boden schlagen) – sich ärgern (über) – sich
aufregen (über) – schimpfen

73

Lektion 5

B 7/8 **12. Welche Antwort passt?**

a) Weißt du noch, wie wir den Mathelehrer so geärgert haben?

1	Komisch! Darauf habe ich schon immer gewartet.
2	Komisch! Daran kann ich mich gar nicht erinnern.
3	Komisch! Darüber habe ich mich gar nicht geärgert.

b) Bist du immer noch sauer auf Sebastian?

1	Ich möchte nicht darüber reden.
2	Das darf doch nicht wahr sein!
3	Das macht mir keinen Spaß.

c) Jetzt darf ich doch nicht zu meiner Tante nach Amerika. Und ich habe mich schon so darauf gefreut.

1	Das finde ich ja toll!
2	Ach, das ist aber schade!
3	Du hast es gut!

d) Interessierst du dich eigentlich für Geschichte?

1	Nein, das ist aber interessant.
2	Nein, ich interessiere mich für Geschichte.
3	Nein, dafür habe ich mich noch nie interessiert.

e) Hast du schon gehört? Steffi hat mit Peter Schluss gemacht.

1	Darauf habe ich ja schon lange gewartet.
2	Du hast wohl nicht zugehört.
3	Ich habe dich was gefragt!

f) Was haben denn deine Eltern zu dem Verweis gesagt?

1	Oh ja, die haben etwas gesagt.
2	Oh je, die haben sich sehr darüber gefreut.
3	Oh je, die haben sich furchtbar darüber aufgeregt.

B 7/8 **13. Alfred und Freddy**

Das sagt Alfred:

Das sagt Freddy:

a) Ich interessiere mich sehr für klassische Musik.

Dafür interessiere ich mich überhaupt nicht.

b) Ich freue mich immer auf den Schulanfang.

_____

c) Ich ärgere mich nie über die Schule.

_____

d) Ich warte immer, bis der Lehrer mich aufruft.

_____

e) Ich spreche am liebsten über Literatur.

_____

f) Ich erinnere mich gern an den Schulanfang.

_____

g) Ich rege mich über schlechte Filme auf.

_____

h) Ich interessiere mich sehr für Kultur.

_____

14. Ergänze: *darauf – darüber – dafür – daran.* B 7/8

a) Mein kleiner Bruder nimmt einfach immer meinen Cassettenrecorder und fragt mich nicht mal vorher.

_____ kann ich mich wahnsinnig aufregen.

b) Diesen Sommer fahren wir endlich nach Frankreich. _____ freuen wir uns schon so.

c) Deine Mutter erzählt immer, dass du als kleines Kind deinen Namen nicht richtig sagen konntest. Aber

_____ kannst du dich wohl nicht mehr erinnern.

d) Meine Eltern fahren nach Ägypten und sehen sich die Pyramiden an. _____ haben sie

sich schon immer interessiert.

e) Wir haben für Christian eine Geburtstagsparty gemacht. Ich glaube, er hat sich sehr _____

gefreut.

15. Was passt zusammen? B 9/10

1	Worüber ärgerst du dich denn?
2	Über wen habt ihr geredet?
3	Worauf freust du dich jetzt?
4	Worüber freust du dich so?
5	An wen denkst du gerade?
6	Auf wen wartest du?
7	Woran erinnert dich das?
8	Für wen interessierst du dich?
9	Wofür interessierst du dich?

a	Über die Eins.
b	An Katrin.
c	An Spanien.
d	Über das Wetter.
e	Für Sport.
f	Aufs Mittagessen.
g	Auf Karla.
h	Über meine Tante.
i	Für die neue Mitschülerin.

1	2	3	4	5	6	7	8	9

16. Antworte. B 9/10

a) Worüber ärgerst du dich am meisten?

_____

b) Worüber regen sich deine Eltern am meisten auf?

_____

c) Wofür interessierst du dich?

_____

d) Auf wen musst du oft warten?

_____

Lektion 5

e) Worüber freust du dich am meisten?

_____

f) Über wen redest du gern?

_____

g) Woran erinnerst du dich am besten?

_____

h) Worüber unterhältst du dich am liebsten mit deinem Freund / deiner Freundin?

_____

i) Über wen ärgerst du dich manchmal?

_____

j) Worauf freust du dich im Frühling?

_____

k) An wen denkst du oft?

_____

B 9/10   **17. Stell Fragen.**

a) _____

Über einen lustigen Witz.

b) _____

An unsere Freunde in Spanien.

c) _____

Über die Schule.

d) _____

Auf die Ferien.

e) _____

Über die Lehrer.

f) _____

Für Musik.

g) _____

Für John F. Kennedy.

h) _____

Auf meine Freundin.

18. Ergänze: *darauf – daran – darüber – dafür* **oder** *auf – an – über – für* **und das**   B5–10
    Personalpronomen.

a) Oh, diese blöde Klassenarbeit! – Ach, reg dich doch _____ nicht so auf!

b) Also, dieser Mathelehrer macht mich wahnsinnig. – Du schimpfst ja nur noch _____ .

    So schlimm ist er ja auch wieder nicht.

c) Cornelia kommt doch immer zu spät. Jedes Mal muss ich _____ warten.

d) Hast du heute schon Englisch gelernt? Wir schreiben doch morgen die Klassenarbeit. – Oh je,

    _____ habe ich gar nicht gedacht.

e) Oh, schau mal, da ist Verena. – Warum, interessierst du dich _____ ?

f) Ich warte nur, dass du dich endlich entschuldigst. – _____ kannst du lange warten!

g) Erinnerst du dich an meinen Onkel? – Natürlich erinnere ich mich _____ .

h) Also, griechische Geschichte ist wirklich interessant. – Na, ich weiß nicht. Ich interessiere mich

    jedenfalls nicht _____ .

19. Ergänze den Dialog.   B5–10

● Hast du das gesehen?

▲ _____

● Das darf doch nicht wahr sein!

▲ _____

● Na, über das Fernsehprogramm am Wochenende! Nur Sport!

▲ _____

● Da zum Beispiel: Fußball Europapokal.

▲ _____

● Nein, überhaupt nicht.
   Und hier. Deutsche Radmeisterschaft, zwei Stunden lang! Findest du das etwa interessant?

▲ _____

● Ich finde das langweilig. Und dann natürlich die Sportschau und das Sportstudio, wie immer.

▲ _____

● Na ja, Spielfilme, Krimis, Western und so.

▲ _____

● Wie bitte? Seit wann interessierst du dich denn so für Sport?

▲ _____

● Schon immer? Ach was! Du willst doch nur am Montag mit den anderen darüber reden. Hab ich
   Recht?

Lektion 5

B5–10 **20. Schreib den Brief richtig in dein Heft.**

Denk an die Großschreibung und an die Satzzeichen.

NÜRNBERG DEN ...

LIEBERONKELMARTINDUWEISSTICHHABEHEUTEGEBURTSTAGICHDURFTEEINEPARTY
MACHENGERADESINDDIELETZTENFREUNDEGEGANGENESWARSEHRNETTABERICHBIN
AUCHEINBISSCHENTRAURIGICHWARSICHERDASSICHEINENNEUENSCHREIBTISCH
BEKOMMEICHHABEMICHSCHONSODARAUFGEFREUTMAMAHATGEWUSSTDASSICH
EINENSCHREIBTISCHBRAUCHEUNDWASHABEICHBEKOMMENEINELAMPEFÜRMEINEN
ALTENSCHREIBTISCHMAMAHATMICHGEFRAGTOBICHMICHDARÜBERFREUEWAS
SOLLTEICHDENNSAGENNATÜRLICHHABEICHGESAGTDASSICHMICHDARÜBERFREUE
WENNESAUCHNICHTSTIMMT
BISBALDDEINFLORIAN

Onkel Martin antwortet Florian. Schreib den Brief.

B5–10 **21. Ergänze: *auf – über*.**

sich freuen auf: Ich freue mich *auf* etwas, was noch passiert, auf das ich warte.
Beispiel: Ich habe morgen Geburtstag. → Ich freue mich *auf* meinen Geburtstag.

sich freuen über: Ich freue mich *über* etwas, was gerade / im Moment passiert.
Beispiel: Ich habe heute Geburtstag. Ich bekomme viele Geschenke. → Ich freue
mich *über* die Geschenke.

a) Ich habe am Samstag Geburtstag. Ich freue mich schon so dar_____.

b) Freust du dich _____ die Ferien? – Und wie!

c) Ich freue mich wahnsinnig _____ das Geschenk.

d) Wor_____ freust du dich denn so? – _____ das schöne Wetter heute. Ich gehe nämlich

ins Schwimmbad. Dar_____ habe ich mich schon die ganze Woche gefreut.

e) Meine Eltern haben sich sehr _____ mein gutes Zeugnis gefreut.

f) Du bekommst ja bald Besuch. Freust du dich denn schon _____ deine alte Freundin? –

Natürlich freue ich mich _____ sie.

B5–10 **22. Ergänze: *mit dem/der – damit – womit – mit wem*.**

fahren mit dem/der + Fahrzeug   →   *damit – Womit?*
fahren mit dem/der + Person   →   *mit ihm/ihr – Mit wem?*

a) Bist du schon mit Peters altem Motorrad gefahren? – _____ fahre ich doch nicht.

b) _____ fährst du denn nach Spanien? – Mit meinen Eltern.

c) Ihr fahrt ja bald nach Spanien. _____ fahrt ihr denn? Mit dem Auto oder mit dem Zug? –

Mit keinem von beidem. Wir fliegen.

d) Bist du schon einmal mit Klaus gefahren? – Ja, aber ich fahre nie wieder _____ . Er fährt

so schnell.

e) Fährst du wirklich mit Anna weg? – Ja klar, _____ macht es immer viel Spaß.

23. Ein Interview   `B5–10`

In der neunten Klasse ist ein neuer Schüler. Er ist Spanier. Er heißt Pedro Caval.

a) Mach ein Interview für die Schülerzeitung „Domino".
Schreib Fragen in dein Heft, zum Beispiel, woher er kommt / ob er Hobbys hat / ob er Geschwister
hat / wofür er sich interessiert / worüber er sich freut / worüber er sich ärgert / …

b) Was antwortet Pedro? Schreib einen Artikel für die Schülerzeitung.

24. Was kannst du noch sagen?   `B 11/12`

a) Im allgemeinen mag ich Sciencefiction-
Sendungen. Aber manche gefallen mir gar
nicht.

1	Ich mag alle Sciencefiction-Sendungen.
2	Mir gefallen die meisten Sciencefiction-Sendungen.
3	Mir gefallen Sciencefiction-Sendungen gar nicht.

b) In unserer Klasse interessieren sich alle für
Sport.

1	Alle Klassen interessieren sich für Sport.
2	In unserer Klasse interessieren sich viele für Sport.
3	In unserer Klasse interessiert sich jeder für Sport.

c) Kennst du dieses Mädchen?

1	Kennst du das Mädchen da?
2	Kennst du ein Mädchen da?
3	Kennst du die Mädchen da?

d) Jede Sendung mit Rocky ist toll.

1	Manche Sendungen mit Rocky sind toll.
2	Diese Sendung mit Rocky ist toll.
3	Alle Sendungen mit Rocky sind toll.

e) Ich sehe mir am Abend immer die Tagesschau an.

1	Ich sehe am Abend immer fern.
2	Ich sehe mir jeden Abend die Tagesschau an.
3	Die Tagesschau interessiert mich.

Lektion 5

25. Ergänze: *dieser – mancher – jeder – alle* in der richtigen Form.

a) Hast du _____ Sendungen von Thomas Gottschalk gesehen? – Nein, nur

_____ . Ich sehe doch nicht _____ Samstag fern.

b) Mir gefällt „Der Kommissar" eigentlich ganz gut. Aber _____ Folgen sind nicht so toll.

c) Willst du wirklich mit _____ Kleid auf die Party gehen?

d) Was soll ich denn Benni zum Geburtstag schenken? – Schenk ihm doch einen Walkman. Darüber freut

sich doch _____ Junge.

e) _____ Mädchen sind wirklich komisch. Da redest du über Fußball, und schon hören

sie dir nicht mehr zu.

f) Was gibt es denn heute auf der Party? – Ich wollte Pizza machen. – Das finde ich nicht so gut. Pizza

mag doch nicht _____ . Mach doch etwas, was _____ Leuten

schmeckt.

g) Wie findest du _____ Hose? – Ehrlich gesagt, nicht so toll.

26. Logical

Name	Julia				
sieht wann / wie lange fern					
sieht am liebsten …					
interessiert sich für …					
ärgert sich über …					

a) Julia sieht jeden Tag etwa eine Stunde fern.
b) Monika sieht am liebsten Liebesfilme.
c) Bettina interessiert sich für Politik, sieht aber am liebsten Western.
d) Helga interessiert sich sehr für Kultur und ärgert sich sehr über schlechte Filme.
e) Verena mag keine Liebesfilme.
f) Ein Mädchen ärgert sich immer über das Fernsehprogramm, sieht aber jeden Tag fünf Stunden fern, am liebsten Familienserien.
g) Ein Mädchen interessiert sich sehr für Sport, sieht aber am liebsten Quizsendungen.
h) Ein Mädchen sieht nur am Wochenende fern, weil es da die schönsten Liebesfilme gibt.
i) Julia ärgert sich nicht über schlechte Noten.
j) Ein Mädchen sieht jeden Mittwochabend fern, weil es da Dokumentarsendungen gibt. Die mag es am liebsten.
k) Ein Mädchen sieht jeden Abend zwei Stunden fern und ärgert sich über die kleine Schwester.
l) Verena interessiert sich nicht für Bücher.

Wer ärgert sich oft über die Lehrer? _____

Wer interessiert sich für Musik? _____

27. Schreib sechs kleine Dialoge in dein Heft. C 1/2

> Komm, wir gehen ins Kino.
>
> Woher hast du denn die schicke Jacke?
>
> Welche Mannschaft wird erste? Was glaubst du?
>
> Hast du eine bessere Idee?
>
> Passen denn da alle Bücher hinein?
>
> Nein, ich habe keine Lust.
>
> Ich habe Autogramme von den bekanntesten Rocksängern.
>
> Hast du auch eins von Rocky Rocknacht?
>
> Ich möchte mir einen Walkman kaufen. Aber welchen?
>
> Das ist mir egal. Die bessere soll gewinnen.
>
> Die habe ich natürlich bei MISS gekauft. Ein besseres Geschäft gibt es in der ganzen Stadt nicht.
>
> Nein, ich glaube, ich brauche eine größere Tasche.
>
> Nimm doch einen Tokuro. Das ist der beste.

28. Ergänze die Tabellen. C 1/2

	Maskulinum	Neutrum	Femininum	Plural
Nominativ	der jüngere Bruder			
Genitiv			der kleineren Schwester	
Dativ		dem größeren Mädchen		
Akkusativ				die älteren Leute

	Maskulinum	Neutrum	Femininum	Plural
Nominativ				ältere Städte
Genitiv		eines kleineren Theaters		
Dativ	einem größeren Bahnhof			
Akkusativ			eine längere Straße	

Lektion 5

C 1/2 **29. Der Angeber**

Wolfgang, der Angeber, kann alles am besten und hat von allem das Beste. Das sagt er jedenfalls.

Das sagt Klaus: *Das sagt Wolfgang:*

a) Ich bekomme ein gutes Zeugnis. *Aber ich bekomme das beste Zeugnis.*

b) Ich habe jetzt ganz schnelle Schier. _____

c) Ich habe einen ganz leichten Rucksack. _____

d) Ich habe ganz heiße Jeans. _____

e) Ich habe eine ganz schicke Jacke. _____

f) Ich habe einen neuen Walkman. _____

g) Ich habe ein tolles Fahrrad. _____

h) Ich habe eine gute Kamera. _____

C 1/2 **30. Ergänze die Adjektive *gut – groß – lang – wenig – viel*.**

Ergänze die Adjektive in der richtigen Form im Komparativ oder Superlativ.

a) Was glaubst du, wer ist der _____ Tennisspieler, Boris Becker oder Stefan Edberg?

b) Möchtest du nicht mit einem _____ Fahrrad fahren? Deine Beine sind doch viel zu

   lang für dieses hier.

c) Weißt du, wer die _____ Pizza in der Stadt macht?

d) Hast du keinen _____ Bleistift? Mit dem hier kann man doch gar nicht schreiben.

e) In unserer Basketballmannschaft spielen die _____ Schüler der ganzen Schule.

f) Ich finde, Nena ist eine der _____ Sängerinnen in Deutschland.

g) Hoffentlich gibt uns der Mathelehrer heute _____ Hausaufgaben auf als gestern.

h) Mensch, ich werde nicht fertig. Ich brauche einfach _____ Zeit.

i) Wenn du nicht öfter trainierst, wirst du nie ein _____ Spieler.

j) Willst du nicht die _____ Blätter nehmen? Auf den kleinen kannst du doch nicht gut

   malen.

k) Tom Cruise gefällt den _____ Mädchen in meiner Klasse.

C 3–5 **31. Verbinde die beiden Sätze mit *obwohl*.**

Die Wörter in Klammern musst du weglassen.

a) Petra kauft sich ein Eis. (Aber) sie mag eigentlich keine süßen Sachen.

   Petra kauft sich ein Eis, obwohl sie _____

   _____

82

b) Heute muss ich Latein lernen. (Aber) ich habe gar keine Lust.

_____

_____

c) Corinna beeilt sich gar nicht. (Dabei) ist es schon sehr spät.

_____

_____

d) Mein großer Bruder fährt allein nach Frankreich. (Dabei) kann er kein Wort Französisch.

_____

_____

e) Andrea möchte sich einen neuen Pulli kaufen. (Aber) sie hat nicht viel Geld.

_____

_____

32. Was passt zusammen? `C 3–5`

1	Mario schaut sich Winnetou an,		a	obwohl er krank ist.
2	Jens geht früh ins Bett,		b	obwohl er morgen eine Klassenarbeit schreibt.
3	Karl geht auf den Sportplatz,		c	obwohl ihm Western nicht gefallen.
4	Martin lernt nicht Latein,		d	obwohl er morgen ausschlafen kann.
5	Udo geht in die Schule,		e	obwohl sein alter noch in Ordnung ist.
6	Sven möchte einen neuen Schianzug,		f	obwohl es in Strömen regnet.

1	2	3	4	5	6

33. Ergänze: *obwohl – weil.* `C 3–5`

a) Klaus geht spazieren, _____ es stark regnet.

b) Ich freue mich, _____ ich eine Eins bekommen habe.

c) Meine kleine Schwester schaut sich manchmal Horrorfilme an, _____ sie immer

Angst hat.

d) Klaus trainiert jeden Tag, _____ er Muskeln haben möchte.

e) Katrin geht früh ins Bett, _____ sie morgen früh aufstehen muss.

f) Jürgen geht Tennis spielen, _____ er krank ist.

Lektion 5

C 6 | **34. Stell den Obwohl-Satz nach vorn.**

a) Martina macht Hausaufgaben, obwohl sie Kopfschmerzen hat.

Obwohl _____

_____

b) Klaus spielt Fußball, obwohl sein Bein weh tut.

_____

_____

c) Ich gehe heute ins Jazzkonzert, obwohl mir Jazz nicht gefällt.

_____

_____

d) Miriam fährt schon gut Schi, obwohl sie erst vor einem Jahr angefangen hat.

_____

_____

e) Meine Eltern gehen heute Abend aus, obwohl sie müde sind.

_____

_____

C 7 | **35. Komische Adjektive**

Die Wortteile sind durcheinandergeraten. Finde die acht zusammengesetzten Adjektiv.

eisstark	zuckergelb	bärengroß	riesensüß	schneerot
nachtweiß	tomatenkalt		sonnenschwarz	

_____   _____

_____   _____

_____   _____

_____   _____

36. Lesetext: „Ein modernes Märchen".

C 1–7

Es war einmal ein kleines Mädchen. Das hatte von seiner Großmutter ein wunderschönes, tomatenrotes Käppchen bekommen. Und weil es das Käppchen nur mit „Colorfit", dem Waschmittel für farbenbunte Wäsche wusch, blieb das Käppchen immer so tomatenrot wie am Anfang. Deshalb nannten die Leute das Mädchen „Rotkäppchen".

5 Eines Tages sollte Rotkäppchen der Großmutter einen ofenfrischen Kuchen bringen. Den hatte die Mutter aus „Doktor Wolters Fertigteig" selbst gemacht. Dazu stellte sie eine Flasche Rotwein der Marke „Traubenglück" in einen Korb.
Rotkäppchens Großmutter wohnte im tiefen, dunklen Wald. Deshalb sagte die Mutter zu Rotkäppchen: „Bleib immer auf dem Weg!"

10 Rotkäppchen ging los. Es war ein wunderschöner Tag und Rotkäppchen sang fröhlich vor sich hin:
„Heut' bring' ich der Großmutter
einen leckeren Kuchen
aus Doktor Wolters Fertigteig;
15 den sollt auch ihr versuchen."
Aber auf dem Weg wartete der Wolf. Er war sehr freundlich und Rotkäppchen erzählte ihm, dass es die Großmutter besuchen wollte. Da sagte der Wolf: „Bring doch deiner Großmutter ein paar frische Blumen mit. Darüber freut sie sich bestimmt." Und Rotkäppchen pflückte Blumen. Der Wolf aber lief zum Haus der Großmutter und fraß die
20 arme Frau auf. Dann setzte er sich Großmutters Haube auf und legte sich ins Bett. Rotkäppchen kam und trat ans Bett. Da fragte es: „Großmutter, warum hast du so bärenstarke Arme?" Und der Wolf antwortete: „Weil ich sie immer mit dem Superfit-Heimtrainer trainiere." „Und Großmutter, warum hast du so lange Fingernägel?" fragte Rotkäppchen weiter. „Weil ich sie immer mit Astra-Nagelcreme pflege." „Aber, Groß-
25 mutter, warum hast du so riesengroße, schneeweiße Zähne?" „Weil ich sie immer mit Zahnapart putze." Und in diesem Moment sprang der Wolf aus dem Bett und fraß auch das Rotkäppchen auf. Dann legte er sich wieder hin, schlief ein und schnarchte laut. Da kam der Jäger in seinem grasgrünen Anzug vorbei. Er hörte das Schnarchen und wunderte sich sehr. Er ging ins Haus. Und als er den Wolf im Bett sah, schnitt er ihm den
30 Bauch auf. Und heraus kamen die Großmutter und Rotkäppchen. Sie waren gesund und munter. So feierten sie zu dritt ein Fest, aßen den Kuchen und tranken den Wein. (Rotkäppchen natürlich nicht! Denn es war ja noch nicht 18.)

a) Kennst du das Märchen? Welche Stellen sind nicht original? Unterstreiche mit Bleistift.
b) Unterstreiche die zusammengesetzten Adjektive blau.
c) Im Text kommen sechs Produktnamen vor. Schreib Werbespots dafür.
   Beispiel:
   ▲ Oh je, mein Kuchen ist nichts geworden.
   ● Hier! Nimm doch Doktor Wolters Fertigteig!

Lektion 5

A–C **37. Ergänze die Adjektive in Klammern in der richtigen Form.**

a) Heute kommt aber ein _____ Fernsehprogramm. (interessant)

b) Hast du schon Fritz Wepper in seinem _____ Film gesehen? (neu) Also, das ist

wirklich ein _____ Schauspieler. (toll)

c) Wie gefällt dir die _____ _____ Familienserie? (neu – englisch)

d) Wer viel fernsieht, bekommt _____ Augen. (schlecht)

e) Hast du gestern Abend das _____ Interview mit Dagobert Lindlau gehört?

(interessant)

f) Ich mag _____ Filme so gern. Ich sehe mir jeden _____ Film im

Fernsehen an. (alt)

g) Ich muss dir einen ganz _____ Witz erzählen. (lustig)

h) Carola Treiber stellt in ihrer _____ Sendung viele _____ Stars

vor. (neu – interessant)

A–C **38. Ergänze die Präpositionen *vor – nach – seit – in – um – im – am.***

a) _____ Sommer gibt es meistens kein gutes Fernsehprogramm.

b) Wenn ich _____ Abend einen Horrorfilm sehe, kann ich _____ der Nacht nicht gut

schlafen.

c) Wann gehst du denn weg? – Gleich _____ dem Abendessen.

d) Ich gehe nie _____ Freitagabend weg. Da kommt nämlich eine ganz tolle Serie im Fernsehen.

e) _____ wie viel Uhr kommt denn das Fußballspiel?

f) Kind, du sollst doch nicht _____ der Schule fernsehen. Dann kannst du dich nachher im

Unterricht nicht konzentrieren.

g) Wir haben _____ drei Jahren einen Videorecorder. Aber ich darf nur manchmal _____

Wochenende einen Film ansehen.

h) _____ einer Woche beginnt das Tennisturnier in Wimbledon.

A–C **39. Bilde Sätze.**

Verwende das Verb in der richtigen Form.

a) heute – Ich – meine Tante – anrufen

Ich rufe heute meine Tante an.

b) Morgen – wir – einen neuen Fernseher – bekommen

Morgen bekommen wir einen neuen Fernseher.

c) zwei Stunden – Veronika – jeden Tag – fernsehen

_____

d) Die neue Quizsendung – meinem Bruder – gar nicht – gefallen

_____

e) jeden Samstag – ihre Oma – Claudia – besuchen

_____

f) du – mir – Wann – meine Cassetten – zurückgeben

_____

g) Peter – alle seine alten Platten – verkaufen

_____

h) die Sportschau – Wann – anfangen

_____

i) dich – Ich – zu meinem Geburtstag – einladen

_____

Lektion 6

1. Wandle die Fragen um.

a) Wie haben die Leute in der Antike gelebt?

Ich möchte wissen, wie die Leute

_____

b) Wie hat die Mode im 15. Jahrhundert ausgesehen?

Ich möchte wissen,

_____

c) Was war Christoph Kolumbus für ein Mensch?

Mich interessiert,

_____

d) Wer war der Erfinder des Fernsehens?

Ich weiß nicht,

_____

e) Wo ist meine Uhr?

Ich möchte nur wissen,

_____

f) Über wen reden die beiden Mädchen da?

Ich möchte wissen,

_____

g) Woran denkst du?

Ich möchte wissen,

_____

h) Wie kommt man vom Marienplatz zum alten Rathaus?

Weißt du,

_____

2. Sprichwörter

a) Was passt zusammen?

1	Wenn das Spiel am besten ist,		a	trinken sie alle.
2	Wenn der Wanderer getrunken hat,		b	tanzen die Mäuse.
3	Wenn die Birne reif ist,		c	geht er aufs Eis.
4	Wenn eine Gans trinkt,		d	fällt sie vom Baum.
5	Wenn die Katze aus dem Haus ist,		e	will er gleich die ganze Hand.
6	Wenn dem Esel zu wohl ist,		f	soll man ablassen.
7	Wenn man jemandem den kleinen Finger gibt,		g	wendet er dem Brunnen den Rücken zu.

1	2	3	4	5	6	7

b) Lies die Sprichwörter noch einmal. Welche Erklärung passt?

3d	Wenn man warten kann, bis etwas fertig ist, dann geht es von allein.
	Wenn es jemandem zu gut geht, dann macht er nur noch Dummheiten.
	Wenn man von etwas genug hat, interessiert man sich nicht mehr dafür.
	Wenn es am schönsten ist, soll man aufhören.
	Wenn einer etwas vormacht, dann machen es alle nach.
	Wenn keine Kontrolle da ist, machen alle, was sie wollen.
	Wenn man jemandem ein bisschen nachgibt, dann will er gleich noch mehr.

Lektion 6

A 3–6 **3. Was passt zusammen?**

1	Wenn man starten will,
2	Wenn schönes Wetter ist,
3	Wenn ich Geburtstag habe,
4	Wenn ich jeden Tag lerne,
5	Wenn es kalt ist,
6	Wenn das Programm schlecht ist,

a	bekomme ich vielleicht eine gute Note.
b	können wir nicht zum Schwimmen gehen.
c	mache ich den Fernseher immer aus.
d	muss man diesen Knopf drücken.
e	lade ich meine Freunde ein.
f	gehe ich immer spazieren.

1	2	3	4	5	6

A 3–6 **4. Ergänze die Wenn-Sätze.**

a) _Wenn_ _____ ,

   freue ich mich sehr.

b) _____ ,

   ärgern sich meine Eltern.

c) _____ ,

   braucht Klaus ein neues.

d) _____ ,

   treffen wir uns im Café.

e) _____ ,

   fahren wir mit dem Fahrrad.

f) _____ ,

   gehe ich ins Bett.

g) _____ ,

   ziehe ich meine schönsten Klamotten an.

A 3–6 **5. Wandle die Sätze in Wenn-Sätze um.**

a) Willst du starten? Dann musst du diese Taste drücken.

   Wenn du starten willst, musst du _____ .

b) Hast du Hunger? Dann musst du etwas essen.

   _____ .

90

c) Scheint die Sonne? Dann kannst du ja spazieren gehen.

_____ .

d) Bist du müde? Dann kannst du dich aufs Sofa legen.

_____ .

e) Interessiert sich dein Freund für Musik? Dann kannst du ihm ja eine Cassette schenken.

_____ .

f) Möchtest du eine bessere Note in Mathe? Dann musst du viel mehr üben.

_____ .

6. Schreib den Dialog.　　　　　　　　　　　　　　A 3–6

Ach, gib schon her! Nervensäge!　　　　Ja, ja.　　　　Wenn ich dazu Lust habe.

Und wann machst du das?　　　　Was denn?

Und wann weißt du das?　　　　Und wann hast du Lust?

Du, Klaus, du hast mir etwas versprochen.　　　　Das weiß ich jetzt doch nicht.

Dass du mein kleines Auto reparierst.

● Du, Klaus, _____

▲ _____

● _____

▲ _____

● _____

▲ _____

● _____

▲ _____

● _____

▲ _____

Lektion 6

A 3–6 **7. Antworte mit einem Wenn-Satz.**

Verwende das Verb in der richtigen Form.

a) Wann gehst du zu deinen Freunden?

(ich – mit den Hausaufgaben – fertig – sein)

Wenn ich mit _____

b) Wann bekommst du ein eigenes Zimmer?

(wir – in der neuen Wohnung – sein)

_____

c) Wann räumst du dein Zimmer auf?

(ich – die Zeitung – gelesen – haben)

_____

d) Wann gehen wir los?

(das Wetter – besser – sein)

_____

A 3–6 **8. Ergänze: *wenn – wann*.**

a) _____ machen wir eine Party? – _____ meine Eltern weg sind.

b) _____ ich groß bin, möchte ich Astronaut werden.

c) _____ fängt das Konzert an? He, ich habe dich gefragt, _____ das Konzert anfängt.

d) _____ meine kleine Schwester meine Sachen anzieht, rege ich mich immer furchtbar auf.

e) Was machst du, _____ der Fernseher kaputt ist?

f) Weißt du, _____ die Gruppe „Rocknacht" nach Berlin kommt? – _____ ich mich recht erinnere, im April.

g) _____ machen wir denn unseren Wandertag? – Nächsten Dienstag, aber nur, _____ das Wetter schön ist. _____ es regnet, bleiben wir zu Hause.

A 3–6

9. Wie funktioniert ein Cassettenrecorder?

Cassettenwiedergabe

1. Cassettenfach öffnen – Taste ① drücken
   (vorher Stop-Taste ④ drücken)

2. Cassette einlegen

3. Cassettenfach zumachen

4. Abspieltaste ⑤ drücken

5. Lautstärke mit Knopf ⑦ wählen

6. Höhen und Tiefen mit Knopf ⑧ einstellen

Stoppen

1. Kurz unterbrechen – Pausentaste ⑥ drücken

2. Stoppen – Stop-Taste ④ drücken

Beschreibe, wie der Cassettenrecorder funktioniert.

Schreib so:

Zuerst muss man …
Dann muss man …
Wenn man …, muss man …
Man kann die Taste für das Cassettenfach
nur drücken, wenn man vorher …

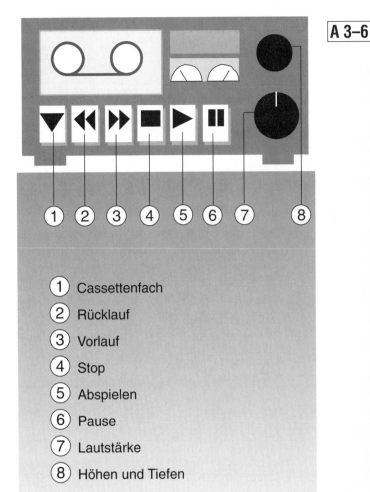

① Cassettenfach
② Rücklauf
③ Vorlauf
④ Stop
⑤ Abspielen
⑥ Pause
⑦ Lautstärke
⑧ Höhen und Tiefen

10. Lesetext: „Die Erfindungsmaschine".

A 1–6

Eines Morgens sagte Professor Monogrohm (der berühmte Erfinder der fünfeckigen Kugel, der Frühstücksmaschine und des trinkbaren Superhaarwuchsmittels) vor dem Frühstück zu seiner Frau: „Es ist höchste Zeit, dass ich wieder einmal eine meiner berühmten Erfindungen mache. Aber mir fällt nicht ein, was ich erfinden soll."

5 „Das hast du schon oft gesagt", meinte seine Frau. „Erfinde doch eine neuartige Maschine!"

„Das hast du auch schon oft vorgeschlagen", sagte er. „Aber mir fällt eben keine ein. Alle Maschinen sind schon erfunden. Ich denke und denke, aber …"

„Du denkst und denkst?" unterbrach ihn seine Frau. „Warum tust du das? Warum baust

10 du keine Maschine, die dir das abnimmt[1]?" „Richtig! Großartig! Höchstbestens!" rief er. „Das ist eine geniale Idee. Schade, dass sie nicht von mir ist. Ich erfinde eine Denkmaschine."

Damit zog er seinen weißen Erfindermantel an, ging in die Erfinderwerkstatt, setzte sich an seinen Erfindertisch und begann, die Denkmaschine zu erfinden.

15 Er baute sechs Wochen, dann war die Maschine fertig. Stolz schob er sie ins Wohnzimmer und führte sie seiner Frau vor. Oben war eine alte Schreibmaschine eingebaut. In die spannte er einen Bogen Papier ein und tippte[2] die erste Frage: Wieviel ist sieben und zwölf?

‖‖▶

15 Kaum war die Frage geschrieben, tippte die Maschine schon ihre Antwort. Neugierig zog der Professor das Papier heraus und las seiner Frau die Antwort vor: ALBERNE FRAGE[3]! NATÜRLICH NEUNZEHN.

„Die Maschine ist ganz schön hochmütig[4]", stellte der Professor leicht verärgert fest. „Ich muss ihr wohl eine schwierigere Frage stellen." Er dachte einige Zeit nach, dann

20 tippte er: Wenn drei Elefanten an zwei Tagen sieben Pfund Fleisch fressen, wieviel Pfund Fleisch fressen dann neun Elefanten an fünf Tagen?

Wieder brauchte die Maschine keine zwanzig Sekunden, dann hatte sie schon ihre Antwort geschrieben. Professor Monogrohm zog das Papier heraus und las vor: ELEFANTEN SIND PFLANZENFRESSER UND FRESSEN ÜBERHAUPT KEIN FLEISCH,

25 ALTER TROTTEL[5]!

„Die Maschine ist nicht hochmütig, sie ist frech", sagte der Professor. „Jetzt werde ich ihr eine Frage stellen, an der sie ordentlich zu kauen hat[6]." Damit spannte er ein neues Papier ein und schrieb: Was soll Professor Monogrohm erfinden?

30 Kaum war die Frage ausgeschrieben, tippte die Maschine schon die Antwort. Die beiden zogen das Papier heraus und lasen gemeinsam: PROFESSOR MONOGROHM WEISS NICHT, WAS ER ERFINDEN SOLL! DARAUS FOLGT: PROFESSOR MONOGROHM SOLL EINE ERFINDUNGSMASCHINE ERFINDEN, DIE AUFSCHREIBT, WAS ER ERFINDEN SOLL!

„Wenn die Maschine manchmal auch ausgesprochen frech ist: Denken kann sie!" freute

35 sich der Professor. „Genau das ist es, was ich erfinden werde. Eine Erfindungsmaschine, die Erfindungen erfindet!" Wieder zog er seinen weißen Erfindermantel an und ging in die Erfinderwerkstatt, um die Erfindungsmaschine zu bauen.

Gestern ist die Maschine fertig geworden. Alle vierundfünfzig Minuten schreibt sie einen neuen Erfindungsvorschlag auf und spuckt ihn aus[7]. Und Professor Monogrohm braucht

40 sich nur in seine Erfindungswerkstatt zu setzen und das zu bauen, was die Maschine ausgedacht hat. Denn das Schwierigste beim Erfinden ist nicht das Erfinden selber. Viel schwieriger ist es, sich Sachen auszudenken, die bis jetzt noch keiner erfunden hat.

Das sind die ersten Erfindungsvorschläge, die die Maschine ausgespuckt hat:

1. Spazierstock mit Tachometer.

45 2. Hut, der sich bei „Guten Tag" automatisch vom Kopf hebt.

3. Brille mit Scheibenwischer.

4. Viereckige Äpfel (weil sie sich gut in Kisten verpacken lassen).

5. Spinat mit Schokoladengeschmack.

6. Gardine, die ohne Wind wehen kann (für Kriminalfilme).

50 7. Mechanische Großmutter, die auf Knopfdruck Märchen erzählt.

8. Jacke, die sich allein zuknöpft.

9. Pantoffeln mit eingebauter Heizung.

10. Unverwüstliche Rauchzeichen aus Metall für Indianer.

11. Runde Hausecken (damit es weniger weh tut, wenn man sich stößt).

55 12. Automatischer Mantelkragen, der sich bei starkem Wind hochklappt.

13. Wanderstiefel für Wanderdünen.

Leider ist nach dem 13. Erfindungsvorschlag der elektrische Strom ausgefallen. Wie man hört, soll ein Maulwurf[8] einen Kurzschluss[9] verursacht haben, als er sich durch das städtische Hauptstromkabel[10] durchfraß. Bis der Schaden behoben ist und die Maschine

60 wieder arbeiten kann, wird wohl noch einige Zeit vergehen.

Aber vielleicht fallen euch in der Zwischenzeit ein paar Erfindungsvorschläge ein. Ihr könnt sie ja aufschreiben. Professor Monogrohm würde sich bestimmt freuen!

Paul Maar

---

1 die das für dich macht
2 schrieb mit der Maschine
3 Doofe Frage!
4 arrogant

5 Dummkopf
6 wo sie richtig
   nachdenken muss
7 gibt ihn heraus

8 Dieses kleine Tier
   lebt unter der Erde.

9 Falscher Kontakt, so dass kein Strom mehr fließt.
10 Kabel, durch das die ganze Elektrizität einer
   Stadt kommt.

a) Lies die Zeilen 44 bis 56.
   Welche Erfindungsvorschläge sind das? Ordne die Nummern aus dem Text den Buchstaben zu.

A	B	C	D	E	F	G	H	I	J	K	L	M

b) Unterstreiche im Text die Stellen, wo sich der Professor über die Maschine ärgert/freut.
c) Der Professor findet die Maschine hochmütig und frech. Warum? Unterstreiche, was die Maschine
   geschrieben hat.
d) In Zeile 20 stellt der Professor der Maschine eine Aufgabe. Findest du auch eine Aufgabe?

   Wenn _____

   _____

e) Was macht eine Frühstücksmaschine und wie funktioniert sie? Schreib auf.
f) Wie sieht die Denkmaschine aus? Eine Information findest du im Text. Unterstreiche. Welche Teile
   hat die Denkmaschine noch? Schreib auf.
g) Erfinde selbst eine Maschine und beschreibe, wie sie funktioniert.
   Beispiel: Hausaufgabenroboter

Lektion 6

Guten Tag, Herr Ritter!
Zwei Jugendliche erzählen von ihrer Reise ins Mittelalter.

○ Zwei Jugendliche, Lena F. und Daniel H. aus Castrop-Rauxel, machten die Probe aufs Exempel. Durch den Artikel in unserer Zeitung waren sie neugierig geworden und wollten nun sofort die Zeitreise in die Vergangenheit antreten. So fuhren die beiden gleich zu Professor Lederle.

○ Kaum waren sie angekommen, liefen ihnen die Bewohner der Burg entgegen und starrten sie an. Kein Wunder! So eine Kleidung hatten sie sicher noch nie gesehen. Aber dann waren sie alle sehr freundlich. Das hatten die beiden gar nicht erwartet!

① Professor Lederles Zeitmaschine (wir berichteten in unserer Ausgabe vom 14. dieses Monats) macht das Unglaubliche möglich: Mit seiner Maschine kann man sich tatsächlich in jede beliebige Zeitepoche unserer Geschichte versetzen lassen.

○ Was Lena und Daniel auf der Burg Falkenstein erlebten, lesen Sie ab Samstag in zehn Folgen täglich exklusiv in unserer Zeitung.

○ Lederle war erst nicht sehr erfreut über den Besuch der beiden Jugendlichen, stimmte der Reise dann aber doch zu. So machten sich Lena und Daniel mit seiner Zeitmaschine auf den Weg ins Mittelalter. Sie erreichten ihr Ziel sehr schnell und landeten auf einer Wiese in der Nähe der Burg Falkenstein.

○ Und was hielten ihre Eltern von dieser Idee? Ganz einfach: Lena und Daniel hatten ihnen gar nichts von ihrem Plan erzählt.

a) Ordne den Artikel. Schreib die Nummern 1 bis 6 vor die Textabschnitte.
b) Unterstreiche alle Verben im Präteritum blau.
c) Unterstreiche alle Verben im Plusquamperfekt rot.

12. Ergänze die Tabelle.

B 1/2

Präteritum	Plusquamperfekt
ich las	
	wir waren gefahren
er schrieb	
	sie hatten gegessen
ihr kamt	
du gingst	
sie telefonierte	
	wir waren eingestiegen

13. Ergänze das Plusquamperfekt.

B 1/2

Setz *sein – haben* in der richtigen Form ein.

a) Vor vier Stunden _____ wir erst in München abgeflogen, und jetzt standen wir

   schon am Fuß der Akropolis.

b) In letzter Minute _____ mein Freund doch noch gekommen. Ich

   _____ gar nicht mehr damit gerechnet.

c) Meine Eltern _____ sich so auf die Reise in den Süden gefreut, und jetzt war das

   Wetter so schlecht.

d) Klaus hatte schon wieder eine Sechs in Mathe. Dabei _____ er so viel geübt.

e) Obwohl wir den Bus verpasst _____, kamen wir noch rechtzeitig ins Theater.

f) Kaum _____ seine Eltern abgefahren, machte Jörg zu Hause eine große Party.

14. Wandle die Sätze in Nachdem-Sätze um.

B 4

a) Erst machte der Reporter ein Interview mit dem Professor, dann schrieb er den Artikel für die Zeitung.

   Nachdem der Reporter ein Interview mit dem Professor gemacht hatte, schrieb er

   den Artikel für die Zeitung.

b) Erst erklärte der Professor alles, dann konnten Lena und Daniel starten.

   _____

   _____

c) Erst stiegen die beiden aus, dann gingen sie zur Burg.

_____

_____

d) Erst machte sich Frau Kunigunde schön, dann ging sie zum Turnierplatz.

_____

_____

e) Erst sahen Lena und Daniel dem Turnier zu, dann schrieb Lena alles in ihrem Tagebuch auf.

_____

_____

B 4 | **15. Ein Tag im Leben des Ritters Kunibert**

a) Das erfahren Lena und Daniel auf Burg Falkenstein über das Leben des Ritters Kunibert:

Eigentlich ist Kunibert ein glücklicher Ritter. Er hat eine nette Frau und sechs liebe Kinder. Es gibt keine Probleme mit den Nachbarn. Seine Bauern arbeiten gut. Deshalb ist auch immer genug zu essen da. Und so sieht sein Alltag aus:
Wenn es hell wird, steht Kunibert gleich auf. Nachdem er gefrühstückt hat, übt er ein bisschen mit seiner Lanze. Er übt jeden Tag, weil er beim Turnier der Beste sein will. Dann schaut er seinen Kindern beim Unterricht zu. Er freut sich immer, dass seine Kinder so viel lernen. Er selbst hat nie eine Schule besucht. Er kann auch nicht lesen und schreiben.
Nachdem er zu Mittag gegessen hat, schläft er ein bisschen. Später reitet er mit seinem Junker aus. Dann ist schon Zeit zum Abendessen. Er unterhält sich noch ein bisschen mit seiner Frau, dann geht er ins Bett.

b) Und so steht es in der Zeitung:

Guten Tag, Herr Ritter!
Folge 4: Ein Tag im Leben des Ritters Kunibert
In unserer heutigen Folge berichten wir über den Alltag eines Ritters im Mittelalter. Ritter Kunibert war der Herr auf Burg Falkenstein. Und weil Lena und Daniel seine Gäste waren, konnten sie einiges erfahren.
Eigentlich war Kunibert ein glücklicher Ritter. Er hatte ...

Schreib den Artikel weiter. (Präsens → Präteritum / Perfekt → Plusquamperfekt)

B 4 | **16. Ein langweiliger Mittwoch**

Bilde „Kettensätze". Verwende immer den Hauptsatz im letzten Satz als Nachdem-Satz im nächsten Satz.

a) von der Schule nach Hause kommen – zu Mittag essen
   Nachdem Klaus von der Schule nach Hause gekommen war, aß er zu Mittag.

_____

b) zu Mittag essen – Hausaufgaben machen

Nachdem er zu Mittag gegessen hatte,

c) Hausaufgaben machen – Tennis spielen

d) Tennis spielen – Musik hören

e) sich mit seinen Eltern unterhalten

f) fernsehen

g) ins Bett gehen

h) noch ein bisschen lesen

i) einschlafen

17. Oswald

B 1–4

Ritter Kunibert hatte sechs Kinder. Sein ältester Sohn hieß Oswald. Er war genauso alt wie Daniel. Schreib einen Zeitungsartikel.

Guten Tag, Herr Ritter!
Folge 5: Oswald, der Sohn des Ritters

Schreib, | wie Oswald aussah.
wie er gekleidet war.
wie sein Alltag war.
was er lernen musste.
wie er seine Freizeit verbrachte.

Lektion 6

C 1–4 **18. Schreib fünf kleine Dialoge in dein Heft.**

Du hast vielleicht Nerven! Ich warte schon 20 Minuten!

Du kannst dich doch nicht ausruhen, während ich arbeite!

Warum denn nicht?

Na und? Sollen wir Jungen vielleicht Mädchenarbeit machen?

Während wir hier Geschirr spülen, spielt ihr Karten!

Wir räumen ein bisschen auf.

Vergiss nicht, du musst noch die Küche aufräumen!

Und was macht ihr, während wir Geschirr spülen?

Entschuldige, ich habe den Bus verpasst.

Wenn es sein muss!

C 1–4 **19. Stell Fragen mit *während*.**

a) Hörst du Musik, während du Hausaufgaben _____ ?

b) Siehst du fern, während _____

_____ ?

c) Singst du, _____

_____ ?

d) Liest dein Vater Zeitung, _____

_____ ?

C 1–4 **20. Gleichzeitig zwei Dinge tun.**

Schreib Sätze mit *während* in dein Heft. Verwende die Verben unten.
Wer findet den blödesten Satz?

Beispiel: Ich singe immer laut, während ich Latein lerne.

Musik hören   Latein lernen   etwas trinken   schlafen

Oma besuchen   Gitarre üben   sich duschen   telefonieren

fernsehen

einen Kopfstand machen   Monopoly spielen   ein Eis essen

laut singen   Rad fahren   Geschirr spülen   sich anziehen

C 6/7

21. Welche Antwort passt?

a) Wann warst du zum ersten Mal in Berlin?

1	Seit dem Sommer.
2	Als ich elf Jahre alt war.
3	Immer wenn ich Zeit habe.

b) Mama, welche Musik hast du gehört, als du jung warst?

1	Rock 'n' Roll, Elvis Presley und so.
2	Ich mag Rock 'n' Roll.
3	Rock 'n' Roll gefällt mir nicht.

c) Wie hast du dich gefühlt, als du zum ersten Mal eine Sechs bekommen hast?

1	Das ist mir egal.
2	Ich habe mich furchtbar geärgert.
3	So ein Mist!

d) Wie alt warst du, als du ins Gymnasium kamst?

1	Seit zehn Jahren.
2	Vor zehn Jahren.
3	Zehn Jahre.

e) Papi, hast du schon einmal Ferien mit dem Fahrrad gemacht?

1	Natürlich, als ich vierzehn Jahre alt war.
2	Damals war ich noch jung.
3	In deinem Alter.

f) Oma, darf ich heute Abend auf die Party gehen?

1	Wenn ich einmal so alt bin wie du, darf ich bestimmt nicht abends weggehen.
2	Ja, gut. Aber weißt du, als ich so alt war wie du, durfte ich nie abends weggehen.
3	Während du zu Hause bleibst, muss ich zur Party gehen.

C 6/7

22. Stell den Als-Satz nach vorn.

a) Meine Oma musste sehr viel im Haushalt helfen, als sie so alt war wie ich.

   Als meine Oma _____

   _____

b) Ich habe mich wirklich gefreut, als meine Tante aus Amerika gekommen ist.

   _____

   _____

c) Die Klasse hat sich sehr geärgert, als sie beim Fußballturnier verloren hat.

   _____

   _____

d) Ich habe mich furchtbar aufgeregt, als mein kleiner Bruder meinen Cassettenrecorder kaputtgemacht hat.

   _____

   _____

Lektion 6

C 6/7 **23. Ergänze den Hauptsatz.**

a) Als ich in die Schule kam, _____

_____

b) Als ich zehn Jahre alt war, _____

_____

c) Als ich das letzte Mal allein zu Hause war, _____

_____

d) _____ ,

als ich zum ersten Mal eine Eins in Mathe bekam.

e) _____ ,

als der Fernseher kaputt war.

C 6/7 **24. Ergänze den Als-Satz.**

a) Ich war wirklich froh, _als_ _____

b) Ich erinnere mich noch, _____

c) Meine Eltern haben sich furchtbar aufgeregt, _____

d) _Als_ _____ ,

habe ich mich sehr geärgert.

e) _____ ,

hatten wir keinen Sport.

f) _____ ,

war ich leider krank.

C 6/7 **25. Ergänze den Dialog.**

▲ Also, tschüs, Oma, ich gehe jetzt.

● _____

▲ Auf eine Party bei einem Schulfreund.

● _____

▲ Warum denn nicht? Da ist doch nichts dabei.

● _____

▲ Sei doch nicht so altmodisch, Oma! Es ist eben nicht mehr so wie früher.

26. Lesetext: „Das Pferd frisst keinen Gurkensalat".

Vor über 100 Jahren lebte in Friedrichsdorf ein Lehrer, Philipp Reis. Er hatte ein Hobby,
er bastelte gern technische Geräte[1].
Reis hatte es sich in den Kopf gesetzt[2], etwas zu erfinden, mit dem man fernsprechen
kann. Eines Tages war es soweit. Er hatte einen Sprechapparat in einem Zimmer
5 aufgebaut und ganz hinten in seinem großen Garten einen Empfänger[3]. Die beiden
Apparate hatte er mit einem Draht[4] verbunden. So wollte er seine Erfindung einem Gast[5]
vorführen.
Philipp Reis sagte zu seinem Gast: „Wenn ich hier im Zimmer einen Satz in diesen
Apparat spreche, dann hört ihn der Schüler, den sie dort hinten im Garten sehen." Der
10 Gast meinte aber, dass Philipp Reis dem Schüler den Satz schon vorher gesagt habe.
Reis antwortete: „Dann sprechen Sie doch selbst einen Satz in meinen Apparat!" Der
Gast dachte eine Weile nach und flüsterte dann: „Das Pferd frisst keinen Gurkensalat."
Als der Schüler ins Zimmer kam, lachte er laut und rief: „Das Pferd frisst keinen Gurken-
salat." Damit war bewiesen, dass Philipp Reis einen Fernsprechapparat erfunden hatte.

Siegfried Buck

1 Apparate   3 Dort kommen die Worte an.   5 Besucher
2 Reis wollte unbedingt   4 dünner Faden aus Metall

a) Beantworte die Fragen. Wo steht es im Text? Schreib auch die Zeile auf.

1. Was war Philipp Reis von Beruf?

_____ Zeile ___ – ___

2. Was machte Philipp Reis in seiner Freizeit?

_____ Zeile ___ – ___

3. Was wollte er unbedingt erfinden?

_____ Zeile ___ – ___

4. Wo hatte er das Gerät aufgestellt?

_____ Zeile ___ – ___

5. Warum glaubte der Gast Herrn Reis am Anfang nicht?

_____ Zeile ___ – ___

b) Noch zwei Fragen. Die Antworten stehen nicht direkt im Text.

1. Warum dachte der Gast lange nach?

_____

2. Warum lachte der Schüler, als er ins Zimmer kam?

_____

c) Finde Überschriften für die Textabschnitte.

Zeile 1– 2 : *Das war Philipp Reis.*   Zeile 11–12: _____

Zeile 3– 7 : _____   Zeile 13–15: _____

Zeile 8–10: _____

Lektion 6

27. Ergänze: *als – wenn.*

als sagt man immer dann, wenn etwas früher passiert ist.
wenn sagt man immer dann, wenn etwas öfter passiert oder früher öfter passiert ist.

a) Immer _____ ich eine Eins bekomme, schenkt mir mein Vater zwei Mark.

b) _____ Jürgen in der Sportstunde einen Salto machen wollte, hat er sich den Fuß

verstaucht.

c) _____ ich in der Grundschule war, lernten auch wir Jungen stricken.

d) Jedesmal _____ wir in die Ferien gefahren sind, hatten wir schlechtes Wetter.

e) Ich war wirklich froh, _____ meine Mutter wieder aus dem Krankenhaus kam.

f) _____ meine Oma ein junges Mädchen war, gab es noch keine gemeinsamen Schulen

für Mädchen und Jungen.

g) _____ man eine Cassette hören möchte, muss man die Start-Taste drücken.

28. Ergänze: *wenn – nachdem – während – als – obwohl – weil – dass – ob.*

a) Ich glaube nicht, _____ es Zeitmaschinen gibt.

b) Immer _____ mein Bruder laut Gitarre spielt, schimpft meine Mutter.

c) _____ Lena und Daniel den Zeitungsartikel über die Zeitmaschine lasen, wollten

sie sofort damit losfliegen.

d) Claudia hatte nur ein leichtes T-Shirt an, _____ es sehr kalt war.

e) _____ Lena und Daniel im neunzehnten Jahrhundert gelandet waren, trafen sie

Wilhelm und Edeltraud.

f) Ich konnte am Samstag nicht kommen, _____ wir bei meiner Oma waren.

g) Weißt du, _____ wir heute Sport haben?

h) Ich muss Geschirr spülen, _____ mein kleiner Bruder fernsehen darf.

i) Maria war sehr traurig, _____ ihre beste Freundin in eine andere Stadt umziehen

musste.

j) Ritter Kunibert begrüßte Lena und Daniel, _____ er zu Mittag gegessen hatte.

29. Was kannst du noch sagen? `D 1/2`

a) Es wird schon alles gut gehen!

1	Ich bin sicher, es geht alles gut.
2	Es ist alles gut gegangen.
3	Hoffentlich geht alles gut.

b) Hab keine Angst! Ich glaube, du bekommst eine gute Note.

1	Hab keine Angst vor einer guten Note!
2	Hab keine Angst! Du wirst schon eine gute Note bekommen.
3	Hab keine Angst! Du hast doch eine gute Note.

c) Ich hoffe, dass wir schönes Wetter haben.

1	Wir haben immer schönes Wetter.
2	Wir werden schon schönes Wetter haben.
3	Hoffentlich ist das Wetter nicht schön.

d) Meine Eltern werden doch wohl bald zurückkommen.

1	Ich hoffe, meine Eltern kommen bald zurück.
2	Bestimmt kommen meine Eltern bald zurück.
3	Meine Eltern kommen gerade zurück.

e) Ich glaube, ich fahre am Wochenende zu Oma.

1	Ich fahre jedes Wochenende zu Oma.
2	Ich freue mich schon auf das Wochenende bei Oma.
3	Ich werde wohl am Wochenende zu Oma fahren.

f) Ihr werdet doch wohl keine Dummheiten machen!

1	Ich hoffe nicht, dass ihr Dummheiten macht.
2	Ich weiß, dass ihr keine Dummheiten macht.
3	Ich glaube, dass ihr Dummheiten macht.

30. Ergänze die Tabelle. `D 1/2`

Präsens	Futur
ich fahre	
	es wird gut gehen
wir kommen zurück	
er ist nervös	
	sie werden fliegen
ihr wartet	
du fährst weg	
	sie wird schlafen
Sie sehen fern	

Lektion 6

D 1/2 **31. Schreib fünf kleine Dialoge in dein Heft.**

Du, ich habe Angst.   Ich glaube, dass Jürgen heute nicht mehr kommt.

Doch, der wird schon noch kommen.   Wo nur Claudia so lange bleibt!

Ach was, es wird schon alles gut gehen!   Maria wartet bestimmt schon lange auf uns.

Ach, die wird schon nicht auf uns warten.   Die wird schon kommen.

Was macht ihr denn in den Ferien?   Wir werden wohl nach Österreich fahren.

D 1/2 **32. Antworte mit einem Satz im Futur.**

Verwende … *schon* …

a) Glaubst du, dass sich unsere Eltern Sorgen machen?

   Ach, die werden sich schon _____

b) Hoffentlich passiert nichts!

   Es _____

c) Hoffentlich ist mein Bruder nicht böse!

   _____

d) Was glaubst du, gewinnen wir das Spiel?

   _____

e) Ich habe Angst, dass ich eine schlechte Note bekomme.

   _____

D 1/2 **33. Ergänze den Dialog.**

▲ Du, Lena, ich habe gerade an unsere Eltern gedacht.

● _____

▲ Sie machen sich bestimmt schon Sorgen.

● _____

▲ Und wenn sie uns suchen?

● _____

▲ Und wenn sie die Polizei rufen?

● _____

▲ Na ja, eigentlich wissen sie gar nicht, wo wir sind. Ich habe gesagt, dass ich zu Freunden aufs Land fahre. Und du?

● _____

▲ Aber richtig war das nicht, was wir gemacht haben. Na ja, wir fahren ja bald zurück. Aber wenn auf dem Rückweg etwas passiert?

● _____

34. Wandle die Fragen um. A–D

a) Hat Siegfried von Xanten wirklich gelebt?

Ich möchte wissen, _ob_ _____

_____

b) Wann kommen Lena und Daniel zurück?

Der Professor möchte wissen, _wann_ _____

_____

c) Funktioniert die Zeitmaschine wirklich?

Der Reporter möchte wissen, _____

_____

d) Haben Mädchen früher eine höhere Schule besucht?

Ich möchte wissen, _____

_____

e) Welchen Sport haben die Jugendlichen früher gemacht?

Daniel möchte wissen, _____

_____

f) Sind Lena und Daniel gut im Mittelalter angekommen?

Der Professor möchte wissen, _____

_____

g) Wer hat das Turnier gewonnen?

Lena und Daniel möchten wissen, _____

_____

35. Ergänze die Adjektive in Klammern in der richtigen Form. A–D

a) Ritter Kunibert war ein _____ Mann. (freundlich)

b) Professor Lederle hat eine _____ Maschine erfunden. (toll)

c) Die Reise ins Mittelalter war wirklich _____ . (interessant)

d) Lena musste ein _____ Kleid anziehen. (elegant)

e) Die erste _____ Eisenbahn fuhr zwischen Nürnberg und Fürth. (deutsch)

f) Zu dem _____ Turnier kamen viele _____

Ritter. (groß – berühmt)

g) Siegfried besiegte den _____ Drachen. (gefährlich)

h) Ludwig wohnte bei seinem _____ Onkel. (streng)

i) Wilhelm wollte keinen _____ Hauslehrer. Er wollte lieber in eine

_____ Schule gehen. (privat – normal)

Lektion 6

A–D **36. Ergänze die Präpositionen** *(in/auf ...)* **und die Artikel (wenn nötig).**

a) Ludwig besuchte eine „Lateinschule" _____ Stadt.

b) Lena und Daniel flogen zuerst _____ Mittelalter.

c) Professor Lederle wohnt _____ Castrop-Rauxel.

d) Wenn man _____ Österreich fliegen möchte, muss man EU 12 eingeben.

e) Lena und Daniel landeten _____ Wiese.

f) _____ Hof der Burg waren viele Leute.

g) Die beiden blieben ein paar Tage _____ Ritter Kunibert.

h) Daniel und Wilhelm gehen _____ Tennisplatz.

i) Lena und Edeltraud müssen _____ Hause bleiben.

A–D **37. Ergänze** *ohne – mit* **und die Artikel/Possessivartikel (wenn nötig).**

a) Lena und Daniel reisen _____ Professor in die Vergangenheit.

b) Die beiden sind _____ Zeitmaschine in der Nähe einer Burg angekommen.

c) Viele Leute sind damals zum ersten Mal _____ Zug gefahren.

d) Edeltraud muss _____ Gouvernante spazieren gehen.

e) Der Knappe Gisbert war immer bei seinem Herrn. Ritter Kunibert ritt nie _____

Knappen aus.

f) Daniel geht _____ Wilhelm zum Bahnhof.

1. Suche noch 18 Wörter.

Sieh auch auf Seite 117 im Lehrbuch nach. Schreib die Wörter (wenn nötig, mit Artikel) in dein Heft.

V	J	U	F	W	Ü	S	T	E	J	U	R	D	S	W	K
B	E	R	G	K	H	D	I	W	A	L	D	B	W	E	H
U	Z	R	Y	S	A	O	Ö	K	Ü	H	L	B	O	T	E
S	U	M	P	F	G	N	O	M	E	E	R	N	L	T	I
C	I	R	E	G	E	N	B	O	G	E	N	K	K	E	D
H	N	E	B	E	L	E	G	E	W	I	T	T	E	R	E
A	C	E	I	F	G	R	A	S	Ä	S	O	N	N	E	H
N	B	G	L	E	T	S	C	H	E	R	M	S	E	E	X

2. Kreuzworträtsel

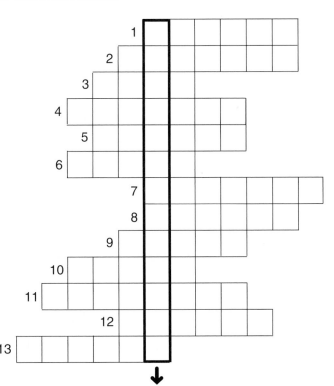

1 Vor einem Gewitter ist die Luft …

2 Schnee fällt. Es …

3 Heute ist es nicht sehr warm. Es ist …

4 Am Himmel sind viele Wolken. Es ist …

5 Es gibt viel Wind. Es ist …

6 Er ist weiß wie Schnee und fällt im Sommer manchmal bei Gewitter.

7 Die Sonne …

8 Am Himmel sind Wolken. Es ist …

9 Aus den Wolken kommt Wasser. Das ist …

10 Man sieht ihn bei Gewitter.

11 Es donnert und blitzt bei einem …

12 Man kann gar nichts sehen. Es ist so …

13 Man hört ihn bei einem Gewitter.

Lektion 7

3. Was passt zusammen?

1	Es blitzt und donnert ja wie verrückt! Lass uns lieber zu Hause bleiben!
2	Ach, ist der Regen schön! So richtig romantisch!
3	Schau mal, es schneit!
4	So ein Mistwetter! Ich wollte heute Tennis spielen, und jetzt ist es so windig.
5	Schau mal! Hast du schon mal so große Schneeflocken gesehen?

a	Sag mal, bist du noch ganz normal?
b	Das ist wirklich ärgerlich! Mit wem wolltest du denn spielen?
c	Prima! Da können wir ja bald Schi fahren gehen!
d	Das ist doch kein Schnee! Das ist Hagel.
e	Du hast doch wohl keine Angst vor einem Gewitter.

1	2	3	4	5

4. Was kannst du noch sagen?

a) Der saure Regen schädigt Bäume und Pflanzen.

1	Die Pflanzen und Bäume werden durch den sauren Regen geschädigt.
2	Der Regen wird auf Pflanzen und Bäumen sauer.
3	Die Pflanzen und Bäume werden durch den sauren Regen nass.

c) Die Säuren dringen in den Boden ein und zerstören das biologische Gleichgewicht.

1	Das biologische Gleichgewicht im Boden wird durch die Säuren zerstört.
2	Das biologische Gleichgewicht zerstört die Säuren im Boden.
3	Der Boden zerstört das biologische Gleichgewicht der Säuren.

b) Die Schadstoffe werden in die Luft geblasen.

1	Die Luft bläst Schadstoffe in die Autos und Häuser.
2	Aus den Fabriken, Häusern und Autos kommen Schadstoffe in die Luft.
3	Die Fabriken, Häuser und Autos werden in die Luft geblasen.

d) Die Schadstoffe verbinden sich mit Sauerstoff und Regenwasser zu Säuren.

1	Wenn die Schadstoffe mit Luft vermischt werden, entsteht saurer Sauerstoff.
2	Wenn es regnet und Schadstoffe in der Luft sind, entstehen Säuren.
3	Wenn Säuren und Schadstoffe zusammenkommen, entsteht Regenwasser.

A 5/6

5. Umweltverschmutzung

Wandle die Sätze um.

a) Die Natur wird geschädigt.

  Die Menschen schädigen die Natur.

b) Flüsse werden mit Chemikalien vergiftet.

  Die Menschen

c) Die Wälder werden zerstört.

d) Das Land wird mit Häusern zugebaut.

e) Es wird zu viel Müll produziert.

6. Ergänze die Tabelle.

A 5/6

ich		
du		
er/es/sie		**gefragt**
wir	*werden*	
ihr		
sie/Sie		

7. Schreib die Sätze richtig in dein Heft.

a) gefeiert – In – Weihnachten – am 24. Dezember – wird – Deutschland
b) am – Hund – ausgeführt – zweimal – Tag – wird – Unser
c) organisiert – In – oft – unserer – werden – Schule – Partys
d) auf – Ich – Party – werde – eingeladen – jede
e) von – Tag – jeden – Die – gelesen – Bild-Zeitung – wird – Menschen – Millionen

8. Ein verrücktes Land

A 5/6

Wandle die Sätze um.

a) Dort machen die Schüler keine Hausaufgaben.

  Dort werden keine Hausaufgaben gemacht.

b) Dort essen alle zum Frühstück Schokolade.

Lektion 7

c) Dort baut man keine Autos mehr.

_____

d) Dort schimpfen die Schüler die Lehrer aus, wenn sie zu streng sind.

_____

e) Dort hört man nur Rock 'n' Roll.

_____

f) Dort sehen die Leute nie fern.

_____

A 5/6 **9. Ich werde ...**

(A) Ich *werde* später Ingenieur.
Ich *werde* krank.
werden = noch nicht jetzt, aber bald /
irgendwann sein

(C) Die Blumen *werden* abgeschnitten.
werden + Partizip Perfekt = Passiv

(B) Er *wird* wohl bald *kommen.*
werden + Infinitiv = Hoffnung/Vermutung

Welche Bedeutung hat *werden* in den folgenden Sätzen?
Kreuze an.

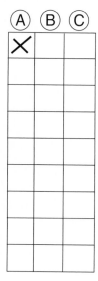

a) Er möchte Schauspieler werden.

b) Er wird wohl ungefähr 20 Jahre alt sein.

c) Die Platten von Elvis Presley werden in der ganzen Welt verkauft.

d) Wenn jemand in unserer Klasse eine Party macht, werde ich immer eingeladen.

e) Wir sind zu spät! – Ach, Paul wird sicher warten!

f) Nie werde ich gefragt! Immer muss ich das machen, was meine Eltern wollen!

g) Bei der Musik wird man ja verrückt!

h) Es wird schon nichts passieren!

i) Wirst du Arzt, so wie dein Bruder?

10. Ein Paket für Familie Meier

1 Geld für die Sendung von Post
2 Besitz
3 Ein Förster arbeitet im Wald, sorgt für die Pflanzen und Tiere.

a) Schreib die Geschichte in dein Heft.
b) Was sagen Frau Meier und ihr Sohn, nachdem sie das Paket ausgepackt haben? Schreib den Dialog in dein Heft.

Lektion 7

C 1 **11. Silbenrätsel**

Bilde Wörter aus den Silben.

```
ab-alarm-alt-alu-ar-au-aus-ben-ber-do-fla-flüs-fo-ga-ge-gif-lie-loch-luft-mit-müll-ozon-pa-pfand-pier-
schen-schmut-schutz-se-se-sen-smog-spray-ster-tel-ten-tier-tig-to-um-ver-wasch-welt-zung
```

1. _____ _____   9. _____ _____ _____
2. _____ _____ _____   10. _____ _____ _____
3. _____ _____ _____ _____   11. _____ _____ _____
4. _____ _____ _____   12. _____ _____ _____
5. _____ _____   13. _____ _____ _____ _____
6. _____ _____ _____   _____
7. _____   14. _____ _____
8. _____ _____ _____   15. _____ _____ _____

1. ein Loch in der Atmosphäre
2. In der Tierwelt gibt es viele verschiedene …
3. Wenn die Fabriken Chemikalien in die Luft blasen, ist das …
4. Wenn es von einer Tierart nur noch wenige Tiere gibt, dann kann diese Tierart …
5. Bestimmte Pflanzen darf man nicht essen. Sie sind gefährlich für die Gesundheit. Sie sind …
6. Wenn der ganze Müll einer Stadt zusammenkommt, dann gibt es …
7. Wasserstraßen
8. Wenn man für die Natur etwas tut, heißt das …
9. Wenn man die Wäsche waschen will, braucht man …
10. kein neues Papier
11. Flaschen, die man leer wieder ins Geschäft zurückbringen kann. Man bekommt dafür Geld.
12. silbernes Material zum Einpacken von Essen
13. die Gase, die aus dem Auto kommen
14. Wenn die Luft über einer Großstadt sehr schlecht ist, dann gibt es dort …
15. spezielle Dosen für Farben, Haarlack und ähnliches

C 1/2 **12. Was passt zusammen?**

1	Ich mag nur Jungen,	a	das ich letzte Woche gekauft habe.
2	Clara hat einen Papagei,	b	die mir immer bei den Mathehausaufgaben hilft.
3	Ich habe keinen Freund,	c	die mich nach einer Party auch nach Hause bringen.
4	Heute Abend ziehe ich das Kleid an,	d	mit dem ich über alles reden kann.
5	Meine Freundin hat eine Tante,	e	der sprechen kann.
6	Das ist Anna,	f	die in Japan wohnt.

1	2	3	4	5	6

13. Ordne den Dialog. $\boxed{\text{C 1/2}}$

	▲ Ich meine den, der den gelben Rucksack in der Hand hat.
	● Mit dem sich Claudia unterhält? Ach so, der. Das ist doch Carsten, der Neue aus der 9b. Was ist mit ihm?
1	▲ Kennst du den Jungen da drüben?
	● Welchen?
	● Tut mir Leid. Ich sehe niemanden mit einem gelben Rucksack.
	▲ Den möchte ich so gern mal kennen lernen!
	● Da stehen doch viele Leute an der Haltestelle.
	▲ Das gibt's doch nicht! Ich meine den, mit dem sich Claudia gerade unterhält.
	▲ Na den, der dort an der Bushaltestelle steht.

14. Was kannst du noch sagen? $\boxed{\text{C 1/2}}$

a) Wir haben ein Au-pair-Mädchen. Es passt immer auf meinen kleinen Bruder auf.

1	Wir haben ein Au-pair-Mädchen, das auf meinen kleinen Bruder aufpasst.
2	Unser Au-pair-Mädchen passt nie auf meinen kleinen Bruder auf.
3	Mein kleiner Bruder hat ein Au-pair-Mädchen, auf das er immer aufpasst.

c) Viele Produkte belasten die Umwelt. Die kaufe ich nicht.

1	Ich kaufe keine Produkte, die in der Umwelt sind.
2	Ich mag keine Umwelt, die die Produkte belastet.
3	Ich kaufe keine Produkte, die die Umwelt belasten.

b) In den Großstädten fahren viele Autos. Dort gibt es oft Smog.

1	In den Großstädten, in denen viele Autos fahren, gibt es oft Smog.
2	Autos, die nie in Großstädten fahren, produzieren keinen Smog.
3	In den Autos, die in Großstädten fahren, gibt es oft Smog.

d) Viele Leute reden erst und denken dann. Die finde ich doof.

1	Ich rede erst über Leute, die ich doof finde, und dann denken sie.
2	Ich finde Leute doof, die erst reden und dann denken.
3	Ich finde Leute doof, die erst denken und dann reden.

Lektion 7

15. Ergänze die Tabelle.

| | **Da ist ...** | | | **Da sind ...** |
	der Mann,	das Kind,	die Frau,	die Leute,
Nominativ		*das immer Kaugummi kaut.*		
Akkusativ			*die ich immer im Bus sehe.*	
	für den ich einkaufe.			
Dativ	*dem ich immer helfe.*			
				mit denen ich immer Fußball spiele.

16. Lesetext: „Umweltschutz auf der Schulbank".

Bleistifte/Buntstifte

Bleistift ist nicht gleich Bleistift. Der Umwelt zuliebe gibt es Blei- und Buntstifte ohne Farbüberzug. Unlackierte Stifte schreiben und malen genauso wie die lackierten, nur belastet[1] ihre Herstellung weniger die Umwelt.

Filzstifte

Filzstifte stehen bei Schülern hoch im Kurs[2], bringen aber der Umwelt ein dickes Minus. Die meisten Faserschreiber sind Einwegprodukte[3]. Am Ende ihrer kurzen Lebensdauer landen sie als Plastikmüll im Papierkorb. Neben der Abfallmenge spielt auch das Material der Kunststoffhülle bei der Entsorgung eine Rolle. Auf gar keinen Fall gehören in die Hände der Schulkinder Filzer, die stark riechen. Häufig erfüllen Buntstifte den gleichen Zweck wie Filzstifte.

Federmäppchen[4]

Die meisten Federmäppchen sind aus Plastik. Sie sind modisch, gehen aber schnell kaputt. Federmäppchen innen und außen aus Leder oder Holzkästen sind umweltfreundlich. Ob es ein Nachteil ist, dass sie weniger poppig aussehen, ist Geschmackssache. Auf jeden Fall sind sie robust und langlebig.

Frühstücksverpackung

Wichtig ist ein gesundes Schulfrühstück. Um Verpackungsmüll zu vermeiden, sollten wiederverwendbare Behälter wie Butterbrotdosen benützt werden. Diese schützen übrigens auch den Inhalt davor, zerdrückt zu werden. Das Essen bleibt appetitlich, der Ranzen[5] sauber.

Füllhalter[6]

Dass Füllhalter lange halten und nachfüllbar sind, macht sie umweltfreundlich. Auf das Nachfüllen aber kommt es an. Umweltfreundliche Füller haben einen Tintentank. Patronen erzeugen Plastikmüll, auf sie kann verzichtet werden[7]. Das Tintenfass wandert, wenn es leer ist, in den Altglasbehälter und wird anschließend zu neuem Glas verarbeitet.

Tintenkiller

So willkommen er bei den Schulkindern ist, die Umwelt freut sich nicht über den „Tintenkiller". Was die Tinte vom Blatt wegzaubert, sind in der Hauptsache giftige Stoffe. Besser ist es, auf Tintenkiller zu verzichten und sauber durchzustreichen.

---

1 ist schlecht (für die Umwelt)
2 sind beliebt, werden gern gebraucht
3 Produkte, die man nicht wieder verwenden kann
4 Darin bewahrt man Stifte, Füller und Radiergummis auf.
5 Schultasche
6 Füller
7 Man braucht sie nicht.

Ergänze die Tabelle.

Gegenstand	Was ist schlecht für die Umwelt?	Alternative
Bleistifte/Buntstifte	Stifte, die lackiert sind.	unlackierte Stifte
Filzstifte		

17. Ergänze.

C 3

Brigitte hat viele Freunde!

Sie hat einen Freund, _der_ in Spanien lebt und _____ sie immer Briefe schreibt. Sie hat

noch eine Freundin, _____ im Ausland wohnt. Das ist das Mädchen, _____ sie letztes Jahr

in den Sommerferien kennen gelernt hat und mit _____ sie immer Tennis gespielt hat.

Sie kennt aber auch viele Jungen und Mädchen, _____ in ihre Schule gehen. Die Mitschüler, mit

_____ sie gut befreundet ist, kommen oft zu ihr nach Hause.

Da ist Tom, _____ sie immer alles erzählt. Ihre beste Freundin, _____ sie immer bei den

Mathehausaufgaben hilft, heißt Adriana. Jeden Tag kommt Christian, _____ sie schon seit der

Grundschulzeit kennt. Oft kommen auch Biggi und Beatrice vorbei, die Zwillingsschwestern, _____

in ihrer Straße wohnen.

18. Erfinde eine neue Organisation.

C 4

Ergänze die Tabelle und schreib einen Bericht über die Organisationen in dein Heft.

Name	Alter	Aktivitäten	Kosten	Kontakt
Gruppe „witzig-spritzig"	14-20	Witze erzählen	keine	Herr Müller (Geschichtslehrer)

Lektion 7

C 1–5 **19. Logical**

Name	Jürgen				
Was tut er für die Umwelt?					
Wo wohnt er?					
Lieblings-essen					
Geschwister					

a) Jürgen wohnt im Gebirge.

b) Florian sortiert den Müll.

c) Matthias hat zwei Geschwister.

d) Erik isst am liebsten Salat.

e) Udo wohnt nicht auf dem Land.

f) Der Junge, der bei der Organisation BUND Mitglied ist, hat vier Geschwister.

g) Der Junge, der drei Geschwister hat, wohnt auf dem Land und isst am liebsten Gemüse.

h) Der Junge, dem Müsli am besten schmeckt, ist bei der Gruppe Greenteam.

i) Der Junge, den zu Hause vier Geschwister nerven, wohnt nicht im Gebirge und mag keinen Salat.

j) Erik hat keine Geschwister.

k) Der Junge, der eine Schwester hat, geht am Wochenende immer in den Wald und räumt den Müll auf.

l) Der Junge, der am liebsten Joghurt isst, wohnt in der Heide.

m) Der Junge, der nur Pfandflaschen und Dosen ohne Treibgas verwendet, wohnt in einer Großstadt.

Wem schmeckt Käse am besten? _____

Wie heißt der Junge, der in einer Kleinstadt wohnt? _____

C 1–5 **20. Schreib vier kleine Dialoge.**

Mein Biolehrer ist wirklich nett!   Ist das nicht die, die in der Schülerband mitspielt?

Ja, die Musik von Annie Lennox ist einfach gut.   Ist das nicht der, der an der deutschen Schule in Mailand unterrichtet hat?

Ja, genau. Das ist Michaels Schwester.

Also, die Cassetten, die du mir geliehen hast, sind wirklich super!   Ja, genau.

Sagt mal, kennt ihr das Mädchen da drüben?

"Die unendliche Geschichte" von Michael Ende.

Ist das das Buch, von dem du mir erzählt hast?

Was liest du denn da?   Ja. Er hat sechs Jahre in Italien gelebt, und seit diesem Schuljahr ist er wieder in Deutschland.

a) ▲ _____
   ● _____
   ▲ _____

b) ▲ _____
   ● _____
   ▲ _____

c) ▲ _____
   ● _____
   ▲ _____
   ● _____

d) ▲ _____
   ● _____

21. Schreib die Sätze richtig in dein Heft. [C 1–5]

a) Freund – hat – Claudia – einen/
   Schi fährt – der – gut – sehr

b) keine – Ich – mag – Jungen/
   fahren – die – Motorrad

c) Schau, – der – ist – da – Junge/
   dem – Tanzkurs – macht – Tina – den – mit

d) Flaschen – Wir – keine – kaufen/
   die – kann – wieder verwenden – man – nicht

e) viele – kenne – Ich – Erwachsene/
   immer – die – über – aufregen – sich –
   Jugendliche

f) Freunde – viele – habe – Ich/
   die – wie – genauso – sind – umweltbewusst –
   ich

g) nur – Ich – Produkte – verwende/
   die – nicht – belasten – Umwelt – die

h) soll – nicht – über – Man – Leute – reden –
   schlecht/
   man – kennt – gut – die – nicht

22. Schreib den Brief richtig in dein Heft. [C 1–5]

HALLOSUSANNEENTSCHULDIGEDASSICHSOLANGENICHTGESCHRIEBENHABELETZTEWOCHE
WARSOVIELLOSSTELLDIRVORDIEKLASSENARBEITDIEWIRAMMITTWOCHSCHREIBENSOLLTEN
ISTAUSGEFALLENWEILUNSERLEHRERKRANKWARMEINEELTERNSINDAUCHFÜRDREITAGE
WEGGEFAHRENMEINETANTEDIEINSTUTTGARTWOHNTISTGEKOMMENUNDISTBEIUNS
GEBLIEBENDASISTDIEMITDERWIRIMMERMOTORRADFAHRENSIEISTSEHRNETTAMSAMSTAG
WARDANNDIEPARTYVONDERICHDIRSCHONERZÄHLTHABECLAUDIOWARAUCHDADASISTDER
ITALIENERDERSEITDREIMONATENHIERWOHNTAUFDERPARTYHABENWIRUNSNÄHERKENNEN
GELERNTERISTGANZSÜSSICHHATTEDASKLEIDANDASICHMIRMITDIRZUSAMMENGEKAUFT
HABEICHHABETOLLAUSGESEHENJETZTMUSSICHAUFHÖRENBISBALD
DEINETRIXI

Lektion 7

C 1–5 **23. Schreib die Sätze um.**

Das ist Claudias Freund.

a) Er wohnt in Hamburg.

   Das ist Claudias Freund, der in Hamburg wohnt.

b) Sie besucht ihn zweimal im Jahr.

   Das ist der Freund,

c) Sie war mit ihm in einem Surfkurs.

d) Er ist Jugendmeister im Tischtennis.

Das ist Jürgens Freundin.

e) Er schreibt für sie Gedichte.

   Das ist Jürgens Freundin,

f) Er ruft sie jeden Tag zweimal an.

g) Sie ist Schülersprecherin an unserem Gymnasium.

Wir haben seit einer Woche ein Kätzchen.

h) Meine Schwester hat es in einer Mülltonne gefunden.

   Das ist das Kätzchen,

i) Mit ihm spielt sogar mein Vater.

Das sind unsere Nachbarskinder.

j) Sie kommen jeden Tag zu uns.

   Das sind die Nachbarskinder,

k) Ihnen gefällt es bei uns so gut.

l) Mein Vater ärgert sich immer über sie.

24. Lesetext: „Ein Dienstag-Nachmittag-Krimi".

„Bei unserem Sonntagsausflug ist das Auto so schmutzig geworden. Es müsste wieder einmal ganz gründlich sauber gemacht werden", sagt Herr Zimpel an einem Dienstagmorgen zu seiner Frau.

Frau Zimpel ist eine sehr ordentliche Frau und so putzt sie den ganzen Vormittag an

5 dem Auto herum.

Am Nachmittag will Frau Zimpel das Auto auch innen sauber machen. Deshalb nimmt sie die Sitze[1] aus dem Wagen und stellt sie auf den Gehsteig. Dann kriecht sie in das Auto hinein. Als sie endlich fertig ist und die Sitze wieder in das Auto zurückstellen will, da sind die Sitze weg, einfach verschwunden. Ein großer Schreck durchfährt Frau

10 Zimpel. Nie mehr würden sie Auto fahren können, denn neue Sitze gibt es für so ein altes Auto nicht. Ein neues aber können Zimpels sich nicht kaufen. Frau Zimpel setzt sich auf das Trittbrett ihres alten Autos und weint sehr. Dann aber kommt ihr ein Gedanke. Sie stellt den Putzeimer neben das Auto, legt ihre Schürze darüber und macht sich auf den Weg zur Polizei.

15 Vor der Polizei trifft sie einen Mann im blauen Mechanikeranzug. „Es ist unglaublich, was heute so alles passiert!", schimpft der Mann. „Fünf Räder[2], drei Vorder- und zwei Hinterräder, sind mir weggekommen, glatt von der Tür meiner Werkstatt weg!"

Im Polizeirevier drängen sich viele aufgeregte Leute um einen Polizeibeamten.

„Nur ruhig", sagt der Polizeibeamte, „wir werden die Sache schon klären. Mein Kollege

20 schreibt alle vermissten Gegenstände auf." – „In unserer Gegend muss eine ganze Diebesbande[3] am Werk sein", stöhnt der Mechaniker.

„Grimm ist mein Name, ich bin Gärtner", so stellt sich jetzt ein Mann mit einer grünen Schürze vor. In der Hand hält er eine Salatpflanze. „Ich habe gerade Salat gepflanzt, da sind mir meine beiden Gießkannen[4] gestohlen worden. Seit eh und je stehen sie am

25 Eingang meiner Gärtnerei. Der neue grüne Rechen[5] aber, der ist auch jetzt noch dort, und dabei ist er doch viel wertvoller als die beiden alten Gießkannen."

„Und mir ist heute nachmittag der Korb[6] weggekommen, in dem ich immer Futter für meine Kaninchen hole", beschwert sich ein anderer. Der Polizeibeamte denkt nach: „Der neue Rechen ist da. Die alten Gießkannen sind weg. Der Korb? – Der Korb für das

30 Kaninchenfutter – war der Korb eigentlich ganz in Ordnung?", fragt er plötzlich. Zögernd kommt die Antwort: „Nein, er hatte ein Loch." – „Danke, das genügt mir", murmelte der Beamte, dann denkt er weiter. „Alles, was weggekommen ist, war alt. Heute ist Dienstag, und am Dienstag ..."

Er nimmt den Telefonhörer ab:

35 „Ja, hier Berger, Revier 9. Mir liegen verschiedene Meldungen von Bewohnern der Siedlung vor, denen heute nachmittag Gegenstände weggekommen sind. Es besteht der dringende Verdacht, dass sie von Angestellten Ihres Unternehmens mitgenommen wurden. Können Sie mir sagen, wo sich Ihr Auto im Augenblick befindet?"

„Danke, das genügt!" – „Im Polizeiwagen können noch drei Personen mitkommen",

40 verkündet Polizist Berger, nachdem er aufgelegt hat.

„Aber wir sind fünf, sechs, siebeneinhalb", zählt er ab. „Was soll's! Heute drücke ich ein Auge zu, kommen Sie einfach alle mit!"

Mit heulender Sirene jagt der Streifenwagen[7] davon, das Blaulicht dreht sich blitzend auf dem Wagendach.

⫸

Lektion 7

45 Nach fünf Minuten ist der Wagen an der Schranke vor dem Müllabladeplatz. „Polizei!",
    ruft Polizist Berger dem Schrankenwärter zu. „Lassen Sie mich unverzüglich durch!"
    Gerade wollen die Müllmänner den Inhalt ihres Wagens die Halde hinunterkippen.
    „Halt, Polizei! Wir müssen den Wagen durchsuchen. Fahren Sie ein Stück zurück, und
    kippen Sie dort aus!" Die Müllmänner schauen verdutzt[8] auf die vielen Leute, die sie
50 umdrängen. Dann aber setzt sich einer ans Steuer des Müllautos und fährt ein paar
    Meter rückwärts. Mit Gepolter fällt nun der ganze Inhalt auf die Straße.
    „Meine Sitze!" ruft Frau Zimpel, und sie wischt liebevoll ein paar Kartoffelschalen von
    ihren braunen Autositzen. Das Mädchen im blauen Kleid hat den Fuß seiner Puppe unter
    einem Aschenhaufen entdeckt. Immer und immer wieder drückt es das Puppenkind an
55 sich.
    Der Mechaniker findet seine Räder. Der Mann, dem der Futterkorb weggekommen war,
    entdeckt ihn unter altem Gerümpel. Der Gärtner bekommt seine Gießkannen wieder
    und die Frau ihren quietschenden Kinderwagen.

Barbara Waubke-Klostermann

3 eine Gruppe von Leuten, die etwas nehmen, was
ihnen nicht gehört

7 Polizeiauto
8 erstaunt

a) Ordne die Sätze. Wo steht das im Text? Gib die Zeilen an.

	Der Mechaniker schimpft.	Zeile ___ – ___
	Alle fahren mit dem Polizisten zum Müllabladeplatz.	Zeile ___ – ___
1	Frau Zimpel putzt ihr Auto.	Zeile ___ – ___
	Die Sitze sind weg.	Zeile ___ – ___
	Der Polizeibeamte telefoniert.	Zeile ___ – ___
	Die Gießkannen des Gärtners sind weg.	Zeile ___ – ___
	Der Polizeibeamte überlegt, was passiert ist.	Zeile ___ – ___
	Alle Leute finden ihre Sachen wieder.	Zeile ___ – ___
	Die Müllmänner laden den Müll aus.	Zeile ___ – ___

b) Schreib selbst eine Geschichte:

Eine Klasse sammelt für den Kunstunterricht Sachen, aus denen sie dann eine moderne Skulptur
machen will. Die Schüler sammeln Gegenstände, die Lehrer und Mitschüler irgendwo liegen gelassen
haben (Brillen, Stifte, Notenbücher …), und machen daraus ein „Kunstwerk".

25. Ergänze die Adjektivendungen. `A–C`

Obwohl Julian ein sportlich_____ Junge ist und ein sehr gut_____ Fahrrad hat, fährt er nie mit dem Fahrrad. Denn er ist gerade 18 Jahre alt geworden und hat seinen Führerschein gemacht. Jetzt nimmt er jeden Tag das klein_____ Auto seiner Mutter, wenn er zur Schule fährt. Er muss um Viertel nach sieben losfahren, weil auf den Straßen viel Verkehr ist. Seine älter_____ Schwester Sarah nimmt normalerweise den Bus. Sie ist Lehrerin an Julians Schule, sie hat also den gleich_____ Weg wie ihr klein_____ Bruder. Heute ist ein wunderschön_____ Tag. Julian setzt sich schon früh am Morgen ins Auto. Sarah will mit ihrem neu_____ Fahrrad in die Schule fahren. Also hat sie noch Zeit. Sie trinkt in Ruhe ihren Milchkaffee und telefoniert noch schnell mit ihrem Freund, dann erst fährt sie los. Sie fährt durch eine Allee mit alt_____ , groß_____ Bäumen und durch klein_____ , romantisch_____ Gassen. Als sie zwei Minuten vor acht Uhr in der Schule ankommt, ist ihr Bruder noch immer nicht da. Er steht im Stau.

26. Ergänze: *weil – dass – obwohl – wenn – nachdem – als*. `A–C`

a) Julian fährt immer mit dem Auto, _____ er auch mit dem Fahrrad fahren kann.

b) Susi geht heute nicht Tennis spielen, _____ es regnet.

c) Thomas hat mir erzählt, _____ er Mitglied bei Greenpeace ist.

d) _____ in Großstädten zu viele Autos fahren, kann es Smogalarm geben.

e) _____ meine Großmutter ein Mädchen war, gab es noch kein Ozonloch.

f) _____ wir so weitermachen, dann gibt es bald große Umweltprobleme.

g) _____ ich die Hausaufgaben gemacht hatte, brachte ich den Müll weg.

27. Ergänze in der richtigen Form: *dieser – jeder – mancher – welcher – alle*. `A–C`

a) Der berühmteste Rockstar _____ Zeiten ist wohl Elvis Presley.

b) _____ Jacke gefällt mir nicht. Sie ist mir zu bunt.

c) Kennst du wirklich _____ Film von Dustin Hoffmann?

d) Bei _____ Shows kann man viel Geld verdienen.

e) In _____ Container muss ich denn _____ Flasche werfen?

f) Nicht _____ Flaschen muss man wegwerfen, _____ sind Pfandflaschen.

g) _____ Menschen müssen beim Umweltschutz mithelfen, sonst hat es keinen Sinn.

h) _____ Tüte ist besser, die aus Plastik oder die aus Papier?

i) _____ Waschmittel verwende ich nicht mehr. Es enthält Phosphate.

Lektion 7

A–C **28. Ergänze: *wenn – wann – als*.**

a) _____ hast du Zeit? – Am Dienstag.

b) _____ der tropische Regenwald weiter so zerstört wird, gibt es eine Umweltkatastrophe.

c) _____ ich in die Grundschule gegangen bin, haben wir oft im Fluss gebadet. Das geht heute nicht mehr.

d) _____ es regnet, komme ich nicht mit.

e) _____ wird es denn endlich Sommer?

f) _____ wir das letzte Mal am Meer waren, konnten wir gar nicht baden, weil so viele Algen im Wasser waren.

g) _____ du nicht sofort kommst, gehe ich allein.

A 1

1. Was passt zusammen?

1	Manuela hat Angst vor
2	Bärbel träumt von
3	Christian ärgert sich über
4	Yvonne fürchtet sich vor
5	Meine Oma freut sich über
6	Unser Lehrer ist wütend auf
7	Miriam ist glücklich über

a	ihre gute Lateinnote.
b	Erik. Er ist wieder zu spät gekommen.
c	großen Hunden.
d	selbst gemachte Geschenke.
e	ihrer Klavierprüfung.
f	seinen großen Bruder.
g	einem neuen Motorrad.

1	2	3	4	5	6	7

2. Ergänze.

A 1

Auszug aus Wolfgangs Tagebuch

Gestern hatte ich mit Papa Streit. Er war ziemlich _____
auf mich, weil ich so spät von der Party zurückgekommen bin. Jetzt hat er
gesagt, ich bekomme das Mountainbike nicht, von dem ich schon so lange
_____ . Aber ich bin trotzdem gut _____ .
Denn gestern ist etwas passiert: Ich habe mich in Annika _____ .
Wir haben die letzte Stunde auf der Party miteinander getanzt. Ich dachte,
sie mag mich nicht, aber gestern hat sie mir gesagt, dass sie sich nur so auf
die Party _____ hat, weil sie wusste, dass ich komme. Sie
hat gesagt, sie war richtig _____ . Nächste Woche ist
das Fest bei Max. Annika kommt auch. Hoffentlich _____
sich Mama und Papa nicht mehr über mich und lassen mich hingehen.

Lektion 8

A 1 **3. Was passt nicht?**

Die Buchstaben ergeben ein Lösungswort.

C	verärgert
A	schlecht gelaunt
~~L~~	lustig

L	aufgeregt
T	traurig
M	nervös

T	Klaus ist wütend auf Katja.
N	Klaus ärgert sich über Katja.
U	Klaus freut sich auf Katja.

G	Thomas hat Angst vor Fox. Das ist der Nachbarshund.
I	Thomas freut sich über Fox.
F	Thomas fürchtet sich vor Fox.

H	lustig
S	aufgeregt
I	gut gelaunt

G	wütend
U	glücklich
T	gut gelaunt

Lösungswort: | L | | | | | |

A 1/2 **4. Welche Antwort passt?**

a) Warum regst du dich denn so auf?

1	Ich ärgere mich nicht.
2	Ach, lass mich doch in Ruhe!
3	Richtig.

b) Worüber freust du dich denn so?

1	Was ist denn los?
2	Ich habe nie Glück.
3	Stell dir vor, ich habe eine Eins in Mathe.

c) Fürchtest du dich wirklich so vor Wasser?

1	Nein, ich schwimme doch nicht.
2	Unsinn!
3	Nein, ich bin immer so ängstlich.

d) Ärgere dich doch nicht so über Thomas!

1	Ich kann nicht anders. Er regt mich so auf.
2	Ich habe eben keine Wut auf ihn.
3	Sie geht mir schon den ganzen Tag auf die Nerven.

e) Morgen habe ich meine Klavierprüfung. Ich bin so aufgeregt.

1	Ach, die schaffst du bestimmt! Du hast doch so viel geübt!
2	Ach, reg dich bloß nicht auf! Sie hat dir doch nichts getan!
3	Ich bin aber glücklich.

5. Schreib vier kleine Dialoge.

A 2

Was ist denn los?

Sie hat Angst vor Mäusen. Da ist eine Stoffmaus doch ein lustiges Geschenk, oder?

Eine Stoffmaus.

Sie ist in unseren Englischlehrer verliebt.

Also, ich finde die Idee nicht so toll!

Warum musst du so früh nach Hause?

Warum interessiert sich Tina denn so für Englisch?

Was schenkst du deiner Oma zum Geburtstag?

Ich bin so wütend auf meinen Bruder!

Ich muss jetzt gehen.

Was hat er denn gemacht?

Was soll sie denn mit einer Stoffmaus?

Meine Eltern regen sich immer so auf, wenn ich zu spät komme.

Er hat mein Tagebuch gelesen.

a) ▲ _____

   ● _____

   ▲ _____

   ● _____

   ▲ _____

b) ▲ _____

   ● _____

c) ▲ _____

   ● _____

   ▲ _____

   ● _____

d) ▲ _____

   ● _____

   ▲ _____

Lektion 8

6. Stell Fragen.

a) *Wovor hast du Angst?* _____ Vor dem Hund unseres Nachbarn.

b) _____ In Elisabeth.

c) _____ Über Claudia. Sie kann ihren Mund nicht halten.

d) _____ Auf meinen Deutschlehrer. Er hat mir eine Drei gegeben, obwohl mein Aufsatz gut war.

e) _____ Von den Sommerferien.

f) _____ Vor der Mathearbeit morgen. Ich habe nicht genug gelernt.

g) _____ Auf meine Mutter. Sie hat mein Zimmer aufgeräumt, und jetzt finde ich nichts mehr.

7. Ergänze die Präpositionen und die Artikel (wenn nötig).

a) Sei doch nicht so wütend _____ Alexander. Er kann doch nichts dafür.

b) Immer wenn Katja _____ _____ Jungen verliebt ist, redet sie nur noch von ihm.

c) Ich freue mich so _____ _____ Sommerferien! Wir fahren ans Meer!

d) Fürchtest du dich auch so _____ _____ Mathearbeit? – Nein, ich habe nie Angst _____ _____ Klassenarbeit.

e) Freust du dich denn gar nicht _____ _____ Geschenk?

8. Ordne die Geschichte.

[ ] Julia sagt sofort ja. Sie hat große Lust auf eine Radtour. Daniel hat wie immer keine Zeit. Er sagt: „Es tut mir Leid, ich habe heute Nachmittag einen Termin im Fernsehstudio."

[ ] Daniel geht in Julias Parallelklasse. Die ganze Schule kennt ihn, denn er war schon einmal im Fernsehen. Er macht Werbespots.

[ ] Julia ist auf dem Weg zur Schule. Sie steigt am Marktplatz in den Bus ein. „Jeden Morgen dasselbe", denkt sie, „immer wieder Schule, ist das langweilig! Warum kann ich nicht einmal das tun, was ich wirklich will?" An der nächsten Station steigt Daniel ein.

[ ] Der Bus hält vor der Schule. Julia und Daniel steigen aus. Da kommt Katharina und ruft schon von weitem: „Hallo, ihr zwei! Wir machen heute Nachmittag eine Radtour. Kommt ihr mit?"

[ ] „Daniel hat es gut!" denkt Julia und sieht ihn von der Seite an. „Mir würde es auch Spaß machen, für das Fernsehen zu arbeiten. Endlich mal etwas anderes! Ich würde bekannte Fernsehstars treffen, tolle Leute kennen lernen und viel reisen. Ich würde natürlich auch viel Geld verdienen und immer schicke Kleider tragen. Alle Jungen in der Klasse würden mich interessant finden und mich auf ihre Partys einladen."

9. Ergänze die Tabelle.

ich		
du		
er/es/sie	*würde*	**viel reisen**
wir		
ihr		
sie/Sie		

10. Claudia hat einen neuen Freund.

Ihre Freundin meint, dass Claudia nicht nett zu ihrem neuen Freund ist.
Was sagt sie?

a) Claudia lässt ihn immer warten.

   Also, ich würde ihn nicht warten lassen!

b) Sie macht Witze über ihn.

   _____

c) Sie geht nie mit ihm spazieren.

   _____

d) Sie geht nie zu seinen Tennisturnieren.

   _____

e) Sie geht nur einmal in der Woche mit ihm aus.

   _____

f) Sie trifft sich auch mit anderen Jungen.

   _____

11. Hans macht nie mit.

Was sagt Hans?

a) Kathrin: Komm doch mit zum Schifahren!

   Hans: *Ich würde ja gern Schi fahren, aber ich kann nicht.*

b) Martin: Isst du gern Schokolade?

   Hans: _____ *, aber ich darf nicht.*

c) Susanne: Kommst du mit ins Schülercafé?

   Hans: _____

d) Michael: Wir gehen jetzt Pizza essen. Kommst du mit?

   Hans: _____

Lektion 8

e) Heike: Spielst du eine Runde Monopoly mit uns?

Hans: _____

f) Max: Wir fahren jetzt in die Stadt. Kommst du mit?

Hans: _____

g) Stefan: Wir gehen jetzt Rollschuh laufen. Komm doch mit!

Hans: _____

A 3/4 | **12. Schreib die Sätze richtig in dein Heft.**

a) Eltern – Disco – gehen – in – du – deinen – mit – Würdest – die
b) deinem – Fahrrad – Ich – so – würde – gern – neuen – fahren – mit
c) heute – ins – Ich – Kino – Abend – würde – gern – gehen
d) würde – Filmstar – Er – mit – gern – treffen – sich – einem
e) Karten – eigentlich – würden – spielen – lieber – Wir – jetzt
f) nie – Ferien – Ich – Eltern – meinen – würde – mit – in – fahren – die

---

A 5 | **13. Schreib Sätze mit *wenn* in dein Heft.**

Verwende … *soll nicht* …

Beispiel:
Ich spiele oft Fußball.
Meine Freundin ist dann beleidigt.
Meine Freundin soll nicht beleidigt sein, wenn ich oft Fußball spiele.

a) Ich diskutiere mit meinen Freundinnen.
   Mein Freund macht dann ein gelangweiltes Gesicht.

b) Ich möchte nachmittags Eis laufen gehen.
   Meine Mutter erinnert mich dann an meine Hausaufgaben.

c) Ich habe manchmal keine Zeit für meinen Freund (für ihn).
   Er wird dann sofort wütend.

d) Ich habe Freunde eingeladen.
   Mein Bruder hört dann laute Musik in unserem Zimmer.

e) Ich trage manchmal ganz modische Sachen.
   Mein Freund lacht dann immer über mich.

14. Gedichte über die Liebe

A 5

Das Liebesbrief-Ei

Ein Huhn verspürte große Lust
unter den Federn in der Brust,
aus Liebe dem Freund, einem Hahn, zu
schreiben,
er solle nicht länger in Düsseldorf bleiben.
Er solle doch lieber hier – zu ihr eilen[1]
und mit ihr die einsame Stange[2] teilen,
auf der sie schlief.
Das stand in dem Brief.

Wir müssen noch sagen: Es fehlte ihr
an gar nichts. Außer an Briefpapier.
Da schrieb sie ganz einfach und deutlich mit Blei[3]
den Liebesbrief auf ein Hühnerei.
Jetzt noch mit einer Marke bekleben
und dann auf dem Postamt abgegeben.

Da knallte[4] der Postmann den Stempel aufs Ei.
Da war sie vorbei,
die Liebelei.

Janosch

1 schnell zu ihr gehen
        2 Hühner sitzen nachts auf einer Stange.
3 hier: Bleistift
4 hier: fest drücken

Liebe

Wir haben eine Neue in der Klasse.
Manchmal lacht sie mich so an.
Dann wird mir immer ganz komisch.
Aber das Komische ist schön.
Es kribbelt überall,
und meine Ohren werden ganz warm.
Sie lacht wunderbar.
Ihr ganzes Gesicht lacht.
Der Mund lacht, die Augen lachen,
die Grübchen[5] lachen.
Sogar die Nase ein bisschen.
Jetzt kann ich sogar unseren Lehrer leiden.[6]
Ich möchte nur wissen, woher das kommt.

Wolfgang Fischbach

5

6 Jetzt mag ich sogar
unseren Lehrer.

a) Lies beide Gedichte und vergleiche sie. Ergänze die Tabelle.

	„Das Liebesbrief-Ei"	Liebe
Wie ist das Gedicht?	lustig, …	
Wie ist es geschrieben?	in Reimen	in normalen Sätzen
Wer ist die wichtigste „Person"?	ein Huhn	
Was machen die verliebten „Personen"?		

b) Wie geht die Geschichte vom „Liebesbrief-Ei" weiter? Schreib die Geschichte in dein Heft.
c) Schreib einen Dialog zwischen dem Jungen und dem Mädchen aus dem zweiten Gedicht in dein Heft.

Lektion 8

A 6 **15. Ergänze die Verben im Konjunktiv II.**

a) Der Lehrer sagt über Hannes:

Hannes _____ (können) in der Schule viel besser sein. Er _____

_____ (müssen) nur mehr lernen. Wenn er nur nicht so faul _____ (sein)!

b) Hannes sagt über den Unterricht:

Ich _____ (haben) viel mehr Spaß mit einem anderen Buch. Die Bücher

_____ (sollen) bunt sein, mit Comics und Spielen.

Wir _____ (sollen) auch Sätze lernen, die wir wirklich brauchen können.

Der Unterricht _____ (sein) dann interessanter. Aber unser Lehrer denkt immer

nur, wir sind faul.

A 6 **16. Ergänze die Tabelle.**

Infinitiv				*haben*	
ich					
du					*wärst*
er/es/sie			*sollte*		
wir					
ihr		*könntet*			
sie/Sie	*müssten*				

A 6 **17. Gute Ratschläge!**

Schreib die Sätze in dein Heft.

Beispiel:
Ich habe in Latein immer schlechte Noten. (müssen – nur mehr lernen)
Du müsstest nur mehr lernen!

a) Ich kann nicht schwimmen, weil ich Angst vor Wasser habe. (sollen – einfach einen Schwimmkurs machen)
b) Ich würde auch gern einen Minirock tragen. (müssen – schlanker werden)
c) Ich streite mich so oft mit meiner Freundin. (sollen – sich einfach nicht so schnell aufregen)
d) Ich finde meine Note in Geschichte ungerecht. (können – einfach zum Lehrer gehen und ihm das sagen)
e) Ich wäre gern so sportlich wie Tommy! (sollen – mehr Sport treiben)

A 3–6 **18. Ein Traumtag.**

Schreib in dein Heft, wie dein Traumtag aussieht.

Beispiel:
*Ich würde bis 11 Uhr im Bett bleiben. Dann würde ich erst einmal
eine Stunde Musik hören …*

19. Welche Antwort passt?

A 7/8

a) Hast du Katharina das Buch schon gezeigt?

1	Natürlich habe ich es ihr schon gezeigt!
2	Ich habe es dir schon gezeigt.
3	Ich habe es ihm doch nicht gezeigt!

b) Hast du deinen Eltern die Geschichte erzählt?

1	Niemals würde ich ihm so was erzählen!
2	Na klar. Sie haben mir alles erzählt.
3	Bist du wahnsinnig! Ich habe sie ihnen natürlich nicht erzählt.

c) Habt ihr euren Großeltern die Bücher geschenkt?

1	Nein, wir haben sie ihnen dann doch nicht geschenkt.
2	Haben wir sie ihnen geschenkt?
3	Ja, wir haben es ihnen geschenkt.

d) Hast du Christiane dein neues Fahrrad geliehen?

1	Ich habe es ihr auch gesagt.
2	Nein, ich würde es ihr nie leihen!
3	Du hast ihn ihr geliehen? Du hast aber Mut!

20. Geheimschrift

A 7/8

Schreib den Text richtig in dein Heft. Ersetze die Symbole durch: *er – es – sie – ihm – ihnen – dir – mir.*)

Gestern habe ich Max getroffen. Ich bin ja so in ihn verliebt. Ich habe ● ▲ ▲ ▲ ● gesagt. ▲ ● ist aber einfach weitergegangen! Das war wohl doch der falsche Moment für eine Liebeserklärung. Seine Freunde waren nämlich dabei und ▲ ● wollte ● ● ● keine Gefühle zeigen. Ich hatte davor ja schon mit seiner Schwester gesprochen. ▲ ▲ sollte ▲ ▲ ● einen Brief von mir geben, in dem alles steht. ▲ ▲ hat ihn ▲ ▲ ● aber nicht gegeben. Da bin ich sicher! Max war so kalt zu ● ●. Aber Anna hatte ● ▲ ● ● ja schon gesagt: „Max' Schwester hilft ▲ ▲ ▲ bestimmt nicht."
Jetzt weiß ich nicht, was ich tun soll. Max weiß, dass ich seine Freundin sein möchte, ich habe ● ▲ ▲ ▲ ● ja gesagt. Soll ich darauf warten, dass er den nächsten Schritt tut?

Lektion 8

A 7/8 **21. Mütter!**

Kirstens Mutter möchte immer alles wissen. Was antwortet Kirsten auf die Fragen?

a) Hast du Konstantin das Buch schon zurückgebracht?

  Natürlich habe ich es ihm zurückgebracht!

b) Hast du Tina den Walkman zurückgebracht?

  Ja, Mama! Ich _____ !

c) Hast du deinem Vater schon deine Mathearbeit gezeigt?

  Nein, ich _____ *noch nicht* _____ !

d) Hast du Oma und Opa die Sachen gebracht?

  Klar! Ich _____ *schon gestern* _____ !

e) Hast du dem Hund schon das Fressen gegeben?

  Natürlich _____ !

A 7/8 **22. Schreib die Sätze richtig in dein Heft.**

a) erzählt – gestern – habe – Ich – ihm – es
b) die – gegeben – ihm – Cassetten – Hast – du
c) einen – geschrieben – Brief – haben – ihr – Wir – langen

d) zurückgebracht – Buch – dir – sie – das – Hat
e) am – erzählt – ihnen – Er – Samstag – hat – es

B 1 **23. „Wer würden Sie gern sein?"**

Der Reporter von DOMINO hat Lehrer gefragt: „Wer würden Sie gern sein?"

Schau die Notizen an und schreib einen Artikel in dein Heft.

Artikel:

Jeder möchte gern einmal ein anderer Mensch sein, irgendwo an einem anderen Ort leben. Wir haben einige unserer Lehrer danach gefragt.

Herr Müller, Mathematiklehrer:

„Ich wäre gern ein Opernsänger wie Placido Domingo. Als Lehrer sieht man doch nur eine kleine Welt und viele Zahlen." …

Notizen:

Herr Müller / Mathelehrer
Opernsänger (Placido Domingo),
Lehrer: kleine Welt, nur Zahlen

Herr Sibelius / Latein-lehrer
Politiker, endlich einmal meine Meinung sagen

Herr Grüner / Deutsch-lehrer
Schüler
…

Direktor Brausewetter:
Clown, Welt des Zirkus, Leben nicht so ernst nehmen

Frau Lehmann / Sport-lehrerin
Filmstar, mehr von der Welt sehen

Frau Zarges / Erdkunde-lehrerin

B 5

24. Ergänze: *mir – mich*.

a) Wie fängt euer Tag an?

Heike, 16:

Ich stehe immer um halb sieben auf. Ich muss erst Viertel vor acht zur Schule fahren, aber ich möchte

_____ ohne Stress fertig machen. Ich dusche _____ jeden Tag und wasche

_____ auch die Haare. Ich ziehe immer Jeans an. Sonst fühle ich _____

nicht wohl.

Norbert, 17:

Wenn der Wecker klingelt, bleibe ich noch lange liegen. Meine Mutter kommt mindestens dreimal in

mein Zimmer und ruft „Aufstehen!". Ich gehe dann ins Bad, putze _____ die Zähne,

kämme _____ die Haare, und dann lege ich _____ noch einmal ins Bett.

Jeden Tag auf dem Schulweg kaufe ich _____ eine Tafel Schokolade. Wenn ich nichts

Süßes kaufen kann, dann ärgere ich _____ fürchterlich! Da fängt der Tag schon schlecht

an.

b) Wie fängt dein Tag an? Schreib in dein Heft.

25. Kreuze an.

a) Wir ärgern [ ] über das
   Fernsehprogramm.

b) Musst du [ ] immer so aufregen?

c) Wo trefft ihr [ ] denn?

d) Sie waschen [ ] nie die Haare.

e) Kannst du [ ] nicht einmal die Haare
   kämmen?

f) Was wünschst du [ ] zum Geburtstag?

g) Mein Bruder putzt [ ] fünfmal am Tag
   die Zähne.

h) Ich freue [ ] so auf die Ferien!

i) Interessierst du [ ] auch für Tennis?

j) Morgen kaufe ich [ ] ein neues Fahrrad.

k) Sie ärgert [ ] immer über ihre Mutter.

l) Meine Freundinnen ziehen [ ]
   mindestens dreimal pro Tag um.

B 5

Singular					Plural		
mich	mir	dich	dir	sich	uns	euch	sich
					X		

Lektion 8

B 5 **26. Was sagt der Vater?**

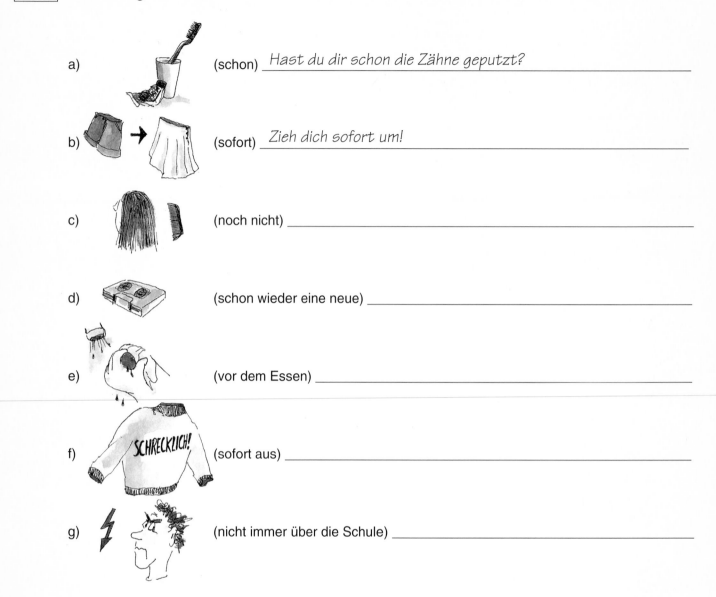

a) (schon) _Hast du dir schon die Zähne geputzt?_

b) (sofort) _Zieh dich sofort um!_

c) (noch nicht) _____

d) (schon wieder eine neue) _____

e) (vor dem Essen) _____

f) (sofort aus) _____

g) (nicht immer über die Schule) _____

B 6/7 **27. Was ist Glück?**

Ergänze.

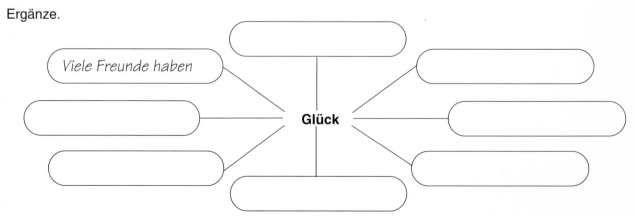

Viele Freunde haben

Glück

28. Test: Was bedeutet Freundschaft für dich?   B 6/7

Lies die Fragen und kreuze eine Antwort an.

Frage 1

Was würdest du tun, wenn deine beste Freundin/dein bester Freund hinter deinem Rücken schlecht über dich redet?

- ✿ Ich würde sie/ihn fragen, warum sie/er das tut.
- ■ Ich würde kein Wort mehr mit ihr/ihm reden.
- ○ Ich weiß nicht, was ich tun würde.

Frage 2

Heute Abend hast du keine Lust auf eine Party. Würdest du mitgehen, wenn deine Freundin/dein Freund dich darum bitten würde?

- ■ Nein. Ich würde ihr/ihm sagen, dass sie/er allein gehen soll.
- ✿ Nein. Ich würde ihr/ihm sagen, dass sie/er auch nicht gehen soll.
- ○ Ja. Ich würde mitgehen.

Frage 3

Stell dir vor, deine Freundin/ dein Freund hat bald Geburtstag. Was schenkst du ihr/ihm?

- ○ Wenn ich genügend Zeit hätte, würde ich eine tolle Geburtstagsparty organisieren. Es müsste aber eine Überraschung sein.
- ✿ Ich würde ihr/ihm eine Musikcassette schenken.
- ■ Nichts. Muss man sich immer etwas schenken?

Frage 4

Stell dir vor, deine Freundin/ dein Freund macht etwas, was deiner Meinung nach nicht gut für sie/ihn ist (z. B. sie/er nimmt Drogen, sie/er fährt betrunken Motorrad). Wie würdest du reagieren?

- ○ Ich würde nichts tun. Jeder kann tun und lassen, was er will.
- ✿ Wenn es wirklich gefährlich wäre, würde ich mit ihr/ihm darüber reden.
- ■ Gar nichts. Sie/Er wäre dann nicht mehr meine Freundin/mein Freund.

Frage 5

Wenn du eine Reise für zwei Personen gewinnen würdest, würdest du deine Freundin/ deinen Freund mitnehmen?

- ○ Ja. Ich würde eine Abenteuerreise nur mit ihr/ihm machen.
- ✿ Ja, aber ich würde diese Reise viel lieber mit vielen Freunden zusammen machen.
- ■ Ich wüsste nicht, mit wem ich fahren soll.

Welches Symbol hast du am häufigsten gewählt? Das ist deine Gruppe.

Typ ○

Du bist ein wirklich guter Freund. Für dich ist Freundschaft das Wichtigste. Du machst alles für gute Freunde. Manchmal vielleicht auch zu viel.

Typ ■

Du bist ein Individualist. Freundschaft ist schön, aber nur, wenn man seine Freiheit hat. Vergiss aber nicht: Wenn es einem schlecht geht, braucht man manchmal Freunde.

Typ ✿

Du bist immer da, wenn jemand dich braucht. Aber du machst nicht alles mit. Manchmal brauchst du Freunde, manchmal möchtest du allein sein. Auf jeden Fall hast du mit niemandem große Probleme.

Lektion 8

B 6/7 **29. Was passt zusammen?**

1	Wenn mein Vater mehr Zeit für mich hätte,	a	würde ich mir sofort einen neuen kaufen.
2	Wenn mein Walkman kaputt wäre,	b	würden meine Großeltern mir sicher eins schenken.
3	Wenn meine Freundin ein Kostümfest machen würde,	c	würden wir oft miteinander Fußball spielen.
4	Wenn ich mir zum Geburtstag ein Fahrrad wünschen würde,	d	würde ich als Robin Hood kommen.
5	Wenn wir einen anderen Mathelehrer hätten,	e	könnten wir alle an den See fahren.
6	Wenn Tina kürzere Haare hätte,	f	würde sie bestimmt viel besser aussehen.
7	Wenn morgen keine Schule wäre,	g	würde Mathe bestimmt weniger Spaß machen.

1	2	3	4	5	6	7

B 6/7 **30. Suche drei Nebensätze mit *wenn*.**

Ich wäre sehr traurig,

a) _wenn_ _____

b) _wenn_ _____

c) _wenn_ _____

ich	nicht	Abend	hätte	Hund	mit	heute	reden	Kino	nicht
würdest	mehr	ins	keinen	könnten	wir	du	mir	gehen	

B 6/7 **31. Schreib die Sätze im Konjunktiv II in dein Heft.**

Beispiel:
Wenn ich 18 bin, kaufe ich mir sofort ein Auto.
Wenn ich 18 wäre, würde ich mir sofort ein Auto kaufen.

a) Wenn ich Pilot bin, fliege ich um die ganze Welt.
b) Wenn meine Mutter mich nicht immer kritisiert, verstehen wir uns viel besser.
c) Wenn ich bei meinen Großeltern bin, darf ich immer ganz lang ausgehen.
d) Wenn ich viel Geld verdiene, mache ich jedes Jahr eine Weltreise.
e) Wenn du stärkere Schmerzen hast, musst du zum Arzt gehen.
f) Wenn ich Hunger habe, esse ich sofort etwas.
g) Wenn es jeden Tag regnet, werde ich richtig traurig.
h) Wenn ich müde bin, gehe ich ins Bett.
i) Wenn Tina nicht so viel redet, ist sie richtig nett.

32. Was sagt Opa? B 6/7

Schreib die Sätze in dein Heft.

Beispiel: Ich finde meinen Taschenrechner nicht! (ordentlicher sein)
      Opa: *Wenn du ordentlicher wärst, würdest du ihn schon finden.*

a) Ich kann mich nicht konzentrieren! (weniger fernsehen)
b) Mir ist langweilig! (an die frische Luft gehen)
c) Ich habe Zahnschmerzen! (nicht so viele Süßigkeiten essen)
d) Ich bekomme wenig Taschengeld! (mehr im Haushalt helfen)

33. Wünsche B 9/10

a) Ich habe kein Fahrrad.

   Hätte ich doch nur ein Fahrrad!

b) Ich kann nicht so gut tanzen wie Max.

c) Ich bin nicht bei dir.

d) Du bist nicht nett zu mir.

e) Wir haben heute Schule.

f) Ich habe kein Geld.

g) Ich kann nicht Schi fahren.

h) Ich bin kein Tennisstar.

i) Du kannst nicht zur Party kommen.

34. Schreib Sätze in dein Heft. B 9/10

Verwende: *Wäre ich doch …! / Könnte ich doch …! / Hätte ich doch …!*

Beispiel: Was würde deine Freundin sagen, wenn sie allein auf einer einsamen Insel wäre?
     Wäre ich doch wieder zu Hause!

a) Was würde deine beste Freundin sagen, wenn sie auf einem Pferd sitzen würde?
b) Was würde dein Hund sagen, wenn er reden könnte?
c) Was würden deine Großeltern sagen, wenn sie vom Jungbrunnen trinken könnten?
d) Was würde dein Lieblingsstar sagen, wenn er dich sehen würde?
e) Was würdest du sagen, wenn du einschlafen und 40 Jahre später wieder aufwachen würdest?

Lektion 8

A–B **35. Ergänze die Präpositionen und Artikel (wenn nötig).**

Sonntag

Ich bin _____ Hause. Ganz allein. Karina ist mit ihrem Freund _____ Meer gefahren, Mama ist _____ Oma und Opa _____ Köln geflogen, und Papa ist wie jeden Sonntag _____ Tennisplatz. Und was mache ich? Ich kann nicht _____ Corinna fahren, sie hat Besuch von Verwandten. Klaus geht mit Matthias und Max _____ Kino, aber ich habe keine Lust auf Kino. Ich könnte natürlich zum Schwimmen _____ Steinsee fahren, aber allein macht das doch keinen Spaß. Sonntag ist ein blöder Tag! Da gehe ich noch lieber _____ Schule.

A–B **36. Anna bekommt Besuch.**

Morgen bekommt Anna Besuch von einer Austauschschülerin aus Spanien, die sie noch nicht kennt. Sie denkt über das Mädchen nach.

a) Kann sie Tennis spielen?

Sie wird doch hoffentlich Tennis spielen können!

b) Ist sie nett?

Sie wird sicher nett sein!

c) Versteht sie Deutsch?

_____

d) Mögen meine Freunde sie?

_____

e) Hat sie Spaß bei uns?

_____

f) Ist sie sportlich?

_____

37. Ergänze *worauf – worüber – wovon – wovor – darauf – darüber – davon – auf … – über … –*   A–B
von … – vor … **und die Artikel (wenn nötig).**

a) ▲ <u> *Auf wen*   </u> warten wir denn noch?

   ● Auf meinen Bruder.

b) ▲ <u> *Worüber*   </u> redet ihr denn?

   ● <u> *Über die*   </u> Party im Jugendzentrum.

   ▲ <u>   </u> habt ihr doch gestern schon geredet.

c) ▲ <u>   </u> bist du denn so wütend?

   ● <u>   </u> Hund. Er hat mir meinen Schuh kaputtgemacht.

d) ▲ Freust du dich auch schon so <u>   </u> ?

   ● <u>   </u> denn?

   ▲ Na, <u>   </u> Party nächsten Samstag!

e) ▲ Ich habe eine Eins in Latein!

   ● Das finde ich ja toll! <u>   </u> freuen sich deine Eltern bestimmt.

f) ▲ <u>   </u> bist du denn so glücklich?

   ● Ich weiß nicht. Ich fühle mich einfach wohl.

g) ▲ Igitt! Komm bitte schnell und hilf mir!

   ● <u>   </u> hast du denn so große Angst?

   ▲ <u>   </u> Maus da!

h) ▲ <u>   </u> hast du denn heute Nacht geträumt?

   ● <u>   </u> Mathearbeit.

   ▲ <u>   </u> habe ich auch geträumt.

Notizen

 *Notizen*

Notizen